Poesías completas

Letras Hispánicas

Delmira Agustini

Poesías completas

Edición de Magdalena García Pinto

SEGUNDA EDICIÓN

CÁTEDRA

LETRAS HISPANICAS

© Ediciones Cátedra (Grupo Anaya, S. A.), 2000
Juan Ignacio Luca de Tena, 15. 28027 Madrid
Depósito legal: M. 39.921-2000
ISBN: 84-376-1204-7
Printed in Spain
Impreso en Fernández Ciudad, S. L.
Catalina Suárez, 19. 28007 Madrid

Índice

8

11

Introducción

A la memoria de mi padre
Roberto García Pinto

Delmira Agustini.

Delmira Agustini y el modernismo

El ambiente intelectual del Montevideo de comienzos de siglo —como el de otros centros urbanos de América Hispana— se caracterizó culturalmente «por el signo de lo controversial y lo caótico», como señala certeramente Carlos Real de Azúa, quien propone para su lectura un interesante diseño tridimensional del escenario finisecular:

> Colocaríamos, como telón, al fondo, lo romántico, lo tradicional y lo burgués. El positivismo, en todas sus modalidades, dispondríase en un plano intermedio, muy visible sobre el anterior, pero sin dibujar y recortar sus contornos con una última nitidez. Y más adelante, una primera línea de influencias renovadoras, de corrientes, de nombres, sobresaliendo los de Nietzsche, Le Bon, Kroptkin, France, Tolstoy, Stirner, Schopenhauer, Ferri, Renan, Guyau, Fouillé...[1]

Este mismo crítico analiza la desintegración de la visión de mundo decimonónica motivada por la creciente vigencia de un acendrado individualismo, por el ataque a lo burgués y mesocrático en el plano estético, y en lo social, por la actitud reformista y el vitalismo asentados en parte en el pensamiento nietzscheano, de gran difusión en Hispanoamérica. Es decir que podríamos pensar la

---

[1] Carlos Real de Azúa, «Ambiente espiritual del Novecientos» en *La literatura uruguaya del Novecientos*, Montevideo, Número, 1950, pág. 15.

cultura finisecular como una estructura organizada de forma caleidoscópica de ideas de origen diverso,

> el determinismo materialista, el escepticismo, el nihilismo ético, el amoralismo nietzscheano, el esteticismo, la concepción decimonónica de la libertad, [que] suscitó hacia fin de siglo... cierta divinización del impulso erótico y genésico sin trabas, muy diverso de la trascendente pasión romántica encarnada en las grandes figuras de 1820 y 1830[2].

En este ambientes multifacético, comparten el espacio social burgués jóvenes movidos por una pulsión iconoclasta muy vital, como Roberto de las Carreras, quien propugnaba el amor libre, la disolución de la institución del matrimonio y la abolición del Código Civil, todo lo cual significaba, de algún modo, un asalto frontal a la moral burguesa, caracterizada por éste como hipócrita y pacata. Otro joven miembro del patriciado, Julio Herrera y Ressig, muy amigo de Roberto de las Carreras, funda un espacio para el arte nuevo que él y otros propugnan y que denomina avisoramente «la Torre de los Panoramas». Para habitar ese recinto artístico, Julio Herrera inventa un personaje que expresase la rebeldía y decadencia que estos artistas representaban: el poeta que explora los paraísos artificiales, cuya representación vino avalada por una fotografía que lo retrata inyectándose heroína. En cierta medida, estos jóvenes intelectuales manifestaban en sus escritos y en su comportamiento de *épater le bourgeois* la necesidad de cuestionar —y atacar— la moralidad sobre la que se construía el proyecto burgués de la clase dirigente, que venía apoyando la regimentación paulatina de las relaciones sociales del Uruguay moderno cuyo objetivo era la consolidación de su economía de mercado para su inserción definitiva en la economía internacional.

En este ambiente del Montevideo de fin de siglo nació

---

[2] *Ibídem* nota 1.

Delmira Agustini el 24 de octubre de 1886, de madre argentina y padre uruguayo, en el seno de una familia burguesa de muy buen pasar. Como era frecuente en la época entre la burguesía próspera, Delmira fue educada por sus padres, quienes se ocuparon de darle una educación amplia, que incluía el estudio del francés, además de piano, dibujo y pintura.

En el *atelier* de pintura conoció a un joven francés, André Giot de Badet, que llegó a ser uno de sus amigos más queridos. Con él hablaba francés y juntos leían la literatura de esa lengua. Posteriormente, Giot de Badet tradujo varios poemas de Delmira que se publicaron en revistas francesas.

Desde el momento en que Delmira comenzó a escribir poemas, lo que ocurrió bastante temprano, sus padres mostraron un apoyo e interés poco común en la actividad creadora de su hija, hasta el punto de que fue su padre quien se ocupó de ordenar y de pasar en limpio los poemas de los cuadernos y papeles sueltos de la poeta, sobre cuya versión Delmira solía hacer nuevas correcciones. Posteriormente, su hermano Antonio siguió el ejemplo de tan generosa tarea. Estas transcripciones de Santiago y Antonio Agustini, que hoy forman parte del Archivo Delmira Agustini en la Biblioteca Nacional de Montevideo, facilitan la investigación de los manuscritos, que en algunos de los cuadernos son de difícil lectura.

La estrecha y afectuosa relación con su familia es un aspecto que ha sido comentado negativamente por los biógrafos y críticos que han trabajado sobre la vida de Agustini. Sobre todo, en lo que respecta a la madre de la poeta. Sin embargo, en mi investigación de los documentos personales, y en particular en lo que respecta a las cartas familiares, no he encontrado ninguna evidencia de tal desarmonía. Por el contrario, en muchos aspectos de su vida, Agustini se apoyó en esa lealtad solidaria que parecía encontrar en sus padres. Era práctica común, por ejemplo, que la familia saliera de paseo por las tardes a tomar el sol y a ver a la gente, como ocurría y sigue ocurriendo en la mayor parte de las ciudades provincianas de

17

Hispanoamérica. No sorprende que los comentarios desfavorables sobre la madre de la poeta anotados por los biógrafos de Agustini hayan sido recogidos de las cartas de su ex marido, Enrique Job Reyes, pero éste es un testigo poco fiable.

La intelectualidad rioplatense, a la que Agustini pertenecía, se había educado bajo el principio racionalista del positivismo, en el que la razón regula el ámbito de los deseos y en que el progreso social sólo se materializa guiado por el pensamiento científico y la educación. En 1912 Battle y Ordóñez, por ejemplo, creó la Universidad de Mujeres, de la cual María Eugenia Vaz Ferreira, poeta contemporánea y amiga de Agustini, fue secretaria.

Los centros culturales más influyentes de este Montevideo eran la Universidad de la República y varios cenáculos —como la Torre de los Panoramas— donde se exponían las ideas fundadoras de esta generación de intelectuales y artistas uruguayos. Los órganos de más difusión eran la *Revista Nacional* (1895-97), que dirigía José Enrique Rodó; *Rojo y Blanco,* dirigida por Samuel Blixen; *La Alborada. Semanario de Actualidades, literario y festivo,* cuyo redactor era Manuel Medina Betancort; *Apolo. Revista de arte y sociología,* de Manuel Pérez y Curis; *La Petite Revue* —publicación bilingüe en francés y español patrocinada por el «Credit Français» en Montevideo—; *Bohemia. Revista de Arte, La Semana. Periódico festivo, artistico, literario y de actualidades, El Hispano Americano, La Revista* y *Vida Moderna,* entre las más leídas en este ambiente artístico y literario.

Las figuras literarias masculinas más destacadas incluían a Juan Zorrilla de San Martín, Eduardo Acevedo Díaz, Javier de Viana, Carlos Reyles, José Enrique Rodó, Horacio Quiroga, Roberto de las Carreras, Manuel Medina Betancort, Julio Herrera y Reissig, Alberto Zum Felde, Carlos Vaz Ferreira y Florencio Sánchez, Angel Falco, Emilio Frugoni, Armando Vasseur, Lasso de la Vega, entre otros, que solían reunirse en el café «Polo Bamba», que se hizo famoso por su identificación con la generación de 1900.

El ambiente artístico de la ciudad estuvo prestigiado

por las visitas de la popular y admirada Sara Bernhardt y de la refinada Eleonora Duse, que actuaron en el Teatro Urquiza. También llegaron Anatole France y Rubén Darío, entre muchos otros viajeros de renombre. El aire libertario del battlismo —más progresista que el de Buenos Aires en algunas instancias— hizo que se sancionara la primera ley de divorcio del continente en 1907, que fue presentada al Parlamento uruguayo por Carlos Oneto y Viana.

Es en este Montevideo libertario y conservador donde Delmira Agustini comienza a publicar sus primeros poemas en la revista *La Alborada* a partir de 1902. En 1903, a los diecisiete años, esta misma revista la invita a colaborar en una sección nueva que Delmira titulará «Legión etérea». Su colaboración es anunciada con gran entusiasmo en el número del 2 de agosto de 1903:

> Desde el número próximo, la inteligente y aprovechada poetisa señorita Delmira Agustini, que nuestros lectores han podido conocer en el curso de mucho tiempo a esta parte en sus bellas producciones poéticas, se hace cargo en nuestra revista de una sección de sociales que hemos dejado a su voluntad intitular. En ella se ocupará de hacer las siluetas, que irán acompañadas del retrato de nuestras niñas más interesantes en cultura y belleza, que bastante tiene nuestro suelo uruguayo, de todo ese nuestro sexo bello tan alabado por las ponderaciones de los extranjeros que nos visitan, que le ha valido la magia de una reputación honrosa en los ambientes de otros pueblos y otras sociedades.
>
> Esperamos que nuestras simpáticas lectoras aplaudirán sin vacilaciones nuestra elección, y contribuirán en la medida de sus fuerzas a embellecer la sección que se inaugura bajo la delicada pluma y exquisita imaginación de nuestra interesante poetisa y compañera[3].

Las semblanzas que Delmira envió a «Legión etérea» bajo el seudónimo retorcidamente modernista de «Jou-

---

[3] *La Alborada,* 23 de agosto de 1903.

jou», se caracterizan por la ornamentación lingüística y la frase elogiosa que repite la ondulación neobarroca del decorado ambiental de fin de siglo. Uno de esos textos es una semblanza de su amiga, la poeta María Eugenia Vaz Ferreira. Este texto es de valor por cuanto existe muy poca información sobre la relación de estas dos escritoras, que sí sabemos eran amigas, según lo testimonian algunas brevísimas cartas y mensajes escritos que se encuentran en el archivo Delmira Agustini. Este texto de «Legión etérea» ofrece un comentario interesante sobre la poesía de María Eugenia Vaz Ferreira, revelador de la concepción poética de Agustini:

> Nuestro ambiente literario le rinde cumplido homenaje [a María Eugenia Vaz Ferreira]: en sus versos hay una fibra, una concepción de ideas, que hace pensar en la robusta y alta imaginación de un primer poeta: las pasiones adquieren en su alma reflectora, no esa deliciosa inconsistencia, esa ligereza quebradiza de sentimientos, ese sonar de cristales que parece que se rompen, de la lira vibrada por las manos de una mujer, sino la rica vida de sabia atleta que junta el llanto de un dolor, como la exaltación insofocable de un amor inmenso que es, grande, vigoroso, como no se sueña en una mujer, como quizá no se espera de un hombre mismo[4].

El círculo de intelectuales amigos de la poeta incluía entre otros a Manuel Medina Betancort, Manuel Ugarte, Alberto Zum Felde y Roberto de las Carreras. La abundante correspondencia personal de Agustini con estos y otros intelectuales contemporáneos suyos documenta la admiración —a veces hiperbólica pero característica de la retórica modernista— que hubo hacia ella como persona y como escritora.

En 1907 Delmira publica *El libro blanco (Frágil)*, su primer libro de poemas, que va prologado por Manuel Medina Betancort, y reproducido en esta edición. La recepción fue muy favorable. Pero al mismo tiempo se nota

---

[4] *La Alborada*, 2 de agosto de 1903.

desde los primeros juicios una tendencia cada vez más pronunciada a no separar la obra de la historia personal ni la calidad de los poemas de la belleza física de Agustini.

En 1910 publica su segundo libro de poemas, *Cantos de la mañana,* esta vez prologado por el escritor uruguayo Manuel Pérez y Curis, el director de la revista *Apolo.* Tras el éxito de su primer libro, Delmira recoge una serie de fragmentos encomiásticos que selecciona de entre las cartas que sus amigos y literatos contemporáneos le habían enviado por la publicación de *El libro blanco (Frágil)* y los incluye al final bajo el título de «Opiniones sobre la poetisa».

Para 1910 Delmira ya había adquirido considerable prestigio como poeta; también para esta época ya tenía relaciones formales con un señor que no pertenecía al ambiente intelectual mencionado arriba. Este caballero es Enrique Job Reyes, con quien Delmira estará «de novia» unos cinco años aproximadamente, a pesar de la oposición de su madre. Esto parece indicar, contrariamente a lo sugerido por los biógrafos de Agustini, que su madre no controlaba su voluntad.

En febrero de 1913 Delmira publica su tercer poemario, *Los cálices vacíos.* Esta vez el marco textual que elige para sus poemas es un elogio de Rubén Darío, a quien había conocido el año anterior, durante la visita de éste al Uruguay. El encuentro ocasionó un posterior intercambio de varias cartas. Delmira escogió un texto del poeta como «Pórtico» de su tercer poemario, indicativo tanto de su admiración hacia Darío como de su deseo de legitimación. El volumen incluye, como *Canto de la mañana,* una selección de juicios críticos sobre su poesía expresados por numerosos escritores contemporáneos, entre los que figuran Francisco Villaespesa, Carlos Vaz Ferreira, Julio Herrera y Reissig, Manuel Ugarte, Roberto de las Carreras y Miguel de Unamuno (véase la sección correspondiente en esta edición). Es posible especular que Delmira creía haber alcanzado la altura poética a la que seguramente aspiraba con la publicación de *Los cálices vacíos.*

También en este volumen la autora anuncia, contradiciendo a aquellos que han señalado un sentimiento de premonición de su muerte, que está preparando una nueva colección que se titulará «Los Astros del Abismo», que considera «deberá de ser la cúpula de mi obra» (véase la página titulada «Al lector» que cierra *Los cálices vacíos* de esta edición).

En agosto de 1913 se casa con Enrique Job Reyes. Son testigos de la boda por parte de Delmira, Carlos Vaz Ferreira, Juan Zorrilla de San Martín y, curiosamente, Manuel Ugarte, con quien ya había establecido una relación epistolar amorosa de tono bastante intenso, según lo revelan las cartas de éste a Delmira que se pueden consultar en el Archivo, junto a las pocas de Agustini a Ugarte que se salvaron de la destrucción por parte de la mujer de Manuel Ugarte. A las pocas semanas de la boda ocurre algo inesperado, sin embargo. Delmira toma la decisión drástica de abandonar su nuevo hogar y volver a casa de sus padres porque no puede convivir más con el joven Reyes. En noviembre de ese año el abogado Oneto y Viana presenta una demanda de divorcio en nombre de Delmira y Reyes acepta la disolución del matrimonio con relativa calma. Pero según testimonio de algunos amigos, Enrique Reyes estaba consumido por una pasión exacerbada por Delmira, por lo cual no sorprende que éste haya insinuado alguna amenaza de muerte si lo abandona. La demanda de divorcio representaba una afrenta a su honor e integridad de varón, según testimonio de su hermana Alina Reyes a Clara Silva y transcrita en *Genio y figura de Delmira Agustini*.

Durante el tiempo en que se fue tramitando el juicio de divorcio, Delmira siguió viendo a Reyes un par de veces por semana para un *rendez-vous* amoroso en un cuarto que Reyes había alquilado para vivir después de la separación, en casa de un amigo suyo. No era un cuarto en una casa de citas, como se ha insinuado en algunas crónicas. El 22 de junio se finalizó el juicio del divorcio. El 6 de julio Delmira fue a verlo, tal vez por última vez, pero ese día Enrique Job Reyes le disparó dos balazos en la cabeza y después se mató él con el mismo revólver y en el mismo cuarto tapizado de fotos, pinturas y otros objetos de su ex mujer y que había servido como recinto sagrado de este Eros tan devorador y nefasto. Delmira Agustini tenía 27 años, y Reyes tenía 28.

¿Decidieron suicidarse ambos, como sugiere Ofelia Machado? O ¿este hombre celoso decidió terminar su tormento acabando con los dos, como lo ha supuesto la mayor parte de las personas que conocieron a Delmira?

Estas circunstancias tan trágicas han generado numerosos comentarios que han contribuido a crear un verdadero mito alrededor de la persona de Delmira Agustini, todavía vigente en el Uruguay actual. Es de notar la recurrencia del destino trágico de muchas escritoras hispanoamericanas de fin de siglo. Sólo en Uruguay, Delmira muere asesinada, y María Eugenia Vaz Ferreira, su amiga poeta y la otra gran voz femenina de 1900, muere en estado de locura.

Otro rasgo peculiar de la historia personal de Agustini es la historia necrológica de sus restos. Cuando ocurrió el asesinato, los restos de la poeta no fueron sepultados el día del entierro, el 7 de julio, sino que fueron trasladados a la morgue después de la ceremonia porque la ley requería una autopsia. Posteriormente, sus restos ocuparon cinco tumbas diferentes hasta octubre de 1992, cuando se la trasladó una vez más. Delmira llegaba una vez más a su tumba en movimiento, esta vez era el Panteón Nacional, a donde la colocaron en medio del saludo militar de un cuerpo de soldados, funcionarios gubernamentales y miembros del cuerpo diplomático, banderas y colegiales con ramos de flores en la mano. Se daba curso así a la petición al Parlamento uruguayo que Clara Silva había presentado en 1964.

Las dimensiones trágicas que rodearon a Delmira a partir de su casamiento con su futuro asesino, y ciertos aspectos específicos de su biografía, han tenido un efecto curioso en el juicio crítico de sus exégetas; por ello es posible leer, a manera de ejemplo, este fragmento de Clara Silva:

Puede decirse que hasta el día de su boda con Enrique Job Reyes, en agosto de 1913, a los 27 años de edad, Delmira Agustini no tiene biografía, no tiene historia. Su *curriculum vitae* es —exteriormente— el de casi todas las señoritas de la clase media de su época en el Plata...[5]

No podríamos imaginar hoy un juicio similar sobre un contemporáneo suyo, Julio Herrera y Ressig, por ejemplo. ¿Quién se animaría a decir que Julio Herrera no tiene biografía hasta que se casa con Julieta González?

La cuestión que aquí estoy planteando es una cuestión fundamental para la historiografía de nuestra literatura. Me refiero a la inclinación, o más bien la práctica asidua, de devaluar el trabajo intelectual de las mujeres, tan enraizada en nuestra crítica, y que hace decir a una intelectual como Clara Silva algo tan inconcebible y absurdo como lo transcrito arriba. Esta devaluación que permea el material bibliográfico de Agustini ha conseguido distorsionar un tanto los hechos que han contribuido a construir una biografía de corte sensacionalista. Esta modalidad interpretativa debe ser estudiada porque es ilustrativa de un modo de ser cultural de la América hispana de la primera mitad del siglo xx[6].

Delmira Agustini y la crítica hispanoamericana

El modernismo literario en Hispanoamérica es un período de importancia capital para el desarrollo de nuestra cultura literaria; sin embargo, su desarrollo, significación y duración ha sido objeto de varia interpretación por parte de la crítica. Una de las formulaciones que esperan corrección es la de interpretar el Modernismo como mo-

---

[5] Clara Silva, *Genio y Figura de Delmira Agustini*, Buenos Aires, EUDEBA, 1968, pág. 22.

[6] Véase mi estudio *El oscuro espejo del deseo. La poesía de Delmira Agustini*, de próxima publicación.

vimiento renovador, fundamentalmente masculino, practicado y teorizado a lo largo del continente como una estética propugnada por el imaginario viril de los hombres de letras de fin de siglo, con lo cual la participación de las mujeres ha sido considerada marginal, o, en todo caso, siempre emuladora de los grandes talentos de un Rubén Darío, de un Leopoldo Lugones, de un Julio Herrera y Reissig, para nombrar a los más citados:

> La obra de los llamados Modernistas hispanoamericanos, la de Darío, Lugones, Jaimes Freyre, José Asunción Silva, José Martí, la de Julio Herrera y Reissig y Julián Casal, por sólo citar los más conocidos, es mucho más que un movimiento puramente formal y representa, consiguientemente, mucho más que una renovación formal de la lengua poética. La «nueva sensibilidad» de que se habló entonces resumía... los efectos del cambio de forma de vida social y a su vez los elementos de que constaba dicho cambio: la secularización, la hipersensibilidad de la vida urbana y su carácter intelectualista. Estos elementos de la nueva forma de vida social son el presupuesto de la renovación formal modernista[7].

Este fenómeno de marginación es bastante complejo, y en parte, inherente a la cultura de su tiempo, y no es privativo de nuestras letras ni de nuestra historia literaria (aunque aún se siga practicando), lo cual no disminuye las consecuencias nefastas para el estudio de la literatura femenina y su contribución a la formación del canon literario en Hispanoamérica.

Paso a analizar algunos argumentos elaborados por la crítica hispanoamericana con respecto a la producción literaria femenina de fin de siglo para mostrar cómo se ha construido su marginación, fenómeno que se puede ilustrar en la elaboración masculina del canon. Por lo general, se puede afirmar que la posición de la crítica con res-

---

[7] Rafael Gutiérrez Girardot, «La literatura hispanoamericana de fin de siglo» en *Historia de la literatura hispanoamericana,* t. II, Madrid, Cátedra, 1987, pág. 501.

pecto a la producción literaria femenina es segregacionista, según lo atestiguan las antologías e historiografías del Modernismo en Hispanoamérica. Dos criterios son los que suelen aplicarse con más frecuencia: el de compartimientos estancos o el de exclusión. En el primer caso, se aísla el grupo de escritoras de los otros miembros de su generación, y se le dedica una sección especial a la *curiosa erupción* literaria de las *poetisas en el momento crepuscular* del Modernismo —también llamado modernismo tardío, modernismo decadente, o posmodernismo— por lo general representado por el famoso cuarteto «Gabriela, Delmira, Alfonsina y Juana». El segundo criterio, el de exclusión parcial o total: se menciona a alguna mujer de paso, o no se menciona a ninguna.

Se suele señalar, para justificar estos criterios, que la selección es necesaria e inherente a la realización de una antología, por tanto, para asegurar la representación más fidedigna del canon —que es «por naturaleza» masculino, la selección del antólogo tiende a ser casi exclusivamente masculina porque la obra poética de las mujeres de fin de siglo no se considera lo suficientemente representativa, es decir, antologable. La tendencia a aplicar los criterios señalados— marginalizante o excluyente— en las historias de la literatura tiende a tener el mismo contorno, lo cual plantea necesariamente un problema para nuestra historiografía literaria en su práctica de la marginación genérico-sexual de la producción literaria femenina.

Para ilustrar los dos criterios que llevo apuntados, me referiré primero al criterio que se aplica en la composición de una antología. De las varias existentes, selecciono la que creo es la más reciente y más valiosa, la de José Olivio Jiménez, *Antología crítica de la poesía modernista hispanoamericana,* de 1985. De esta selección inteligente y bien pensada de la producción poética del periodo no habría nada que objetarse, si J. O. Jiménez no hubiera sucumbido al criterio marginalizante. En su selección incluye a Martí, Silva, Casal, Gutiérrez Nájera, Nervo, González Martínez, Darío, Lugones, Herrera y Reissig, Jaimes

Freyre, Valencia, Santos Chocano, Eguren y a Delmira Agustini. La inclusión de Agustini lleva una explicación que dice así:

> *Aparte,* y antes de los que enseguida se mencionarán a pesar de haber sido de nacimiento más tardío: Delmira Agustini. Esta poetisa uruguaya encarna el erotismo más interesante asumido entre los aquí incluidos, salvo acaso Darío [y nótese que todos ellos fueron hombres], y anuncia la abundante poesía escrita por mujeres americanas en el siglo XX[8]. (El subrayado es mío.)

Esta explicación debe entenderse teniendo en cuenta que el criterio de la selección de la antología tiene por objeto «destacar las indiscutibles figuras mayores del modernismo y las que mayor repercusión han conocido»[9]. La cuestión es que cuando se aplica el criterio selectivo tradicional, las obras de mujeres quedan relegadas a un mínimo. Naturalmente, la implicación es que las que dan forma al canon son las obras de los hombres.

Si la selección antológica escoge unos y desecha otros, y, por lo tanto, el número de voces de mujeres debe ser mínimo, reza el criterio selectivo estándar, nos preguntamos ¿dónde, entonces, debe ser recogida y estudiada la producción literaria de las mujeres de letras de fin de siglo? El sentido común nos indica que al menos deberían estar presentes en las historias literarias. Sin embargo, si revisamos las más recientes historias de la literatura hispanoamericana, veremos que estos dos criterios marcados en la factura de las antologías, siguen inexorablemente vigentes en esta otra área del quehacer literario, aunque a veces asumen una apariencia de «modernización» en el uso del criterio tradicional. El criterio de agrupación por generación es el más frecuente; sin embargo, su práctica tiende a caracterizarse por su ambigüe-

---

[8] José Olivio Jiménez, editor, *Antología crítica de la poesía modernista hispanoamericana,* Madrid, Hiperión, 1985, pág. 48.
[9] *Ibídem* nota 2, pág. 49.

dad, cuando no arbitrariedad. Veamos las instancias más recientes.

Tomemos primero la *Historia de la literatura hispanoamericana,* Tomo I y Tomo II —el Tomo III no ha sido publicado todavía— de 1982 y 1987, respectivamente, y cuya coordinación estuvo a cargo del crítico chileno Luis Íñigo Madrigal. El segundo tomo está dedicado al siglo XIX: *Del Neoclasicismo al Modernismo* (incluye tres secciones: *Neoclasicismo, Romanticismo y Modernismo.*) En la tercera sección se incluye a los siguientes escritores: Díaz Mirón, Gutiérrez Nájera, Julián del Casal, José Asunción Silva, Darío, Díaz Rodríguez, Jaimes Freyre, Nervo, Rodó, Valencia, Lugones, Herrera y Reissig, Santos Chocano y Carlos Pezoa Véliz. Esta reconstrucción historiográfica no da cuenta de la contribución femenina al modernismo hispanoamericano, aunque dichas escritoras nacieran en el siglo XIX. ¿Cuál es el criterio en vigencia? No es posible saberlo con certeza porque no está enunciado; por otra parte, el tercer tomo no ha salido todavía, pero podríamos imaginar que Delmira Agustini, que es la poeta de la que nos ocupamos aquí, no está incluida por haber nacido en 1886, y, por lo tanto, no pertenece a la «última» generación modernista. Sin embargo, veremos que según otra versión del criterio generacional, la que aplica Alberto Zum Felde, incluye a Delmira Agustini y María Eugenia Vaz Ferreira en la generación de 1900 uruguaya, junto a Julio Herrera y Reissig, aunque en la mayoría de las antologías e historias de la literatura no se las considere como miembros de la misma generación. En este Tomo II los nombres de las dos poetas uruguayas aparecen citados una sola vez, en una nota al pie en el artículo dedicado a Rodó escrito por una mujer, Mabel Moraña.

La segunda historia reciente de la literatura hispanoamericana es la que preparó otro crítico chileno, Cedomil Goič, *Historia y crítica de la literatura hispanoamericana,* en la cual las ausencias de mujeres de letras son realmente sorprendentes a lo largo y ancho de los tres tomos de esta supuesta «historia» de nuestra literatura. En la sección dedicada al Modernismo, Cedomil Goič maneja un crite-

28

rio demasiado rígido para periodizar el Modernismo que, curiosamente, no refleja las investigaciones críticas de las dos últimas décadas. De los seis capítulos que se dedican a la literatura de fin de siglo, uno de ellos, el capítulo IX, se titula «Gabriela Mistral y la poesía postmodernista». En la introducción a dicho capítulo, hace una revisión de la generación que Goic denomina «mundonovista» o sea, los/las poetas nacidos/as entre 1875 y 1889. Con este criterio, Julio Herrera y Ressig pertenece a la misma generación que Agustini, con lo cual vemos que está en desacuerdo con Luis Íñigo Madrigal. Concluye su introducción con la siguiente observación: «También está el brote *repentino* de la poesía femenina, por momentos muy específicamente feminista, de D. Agustini, Gabriela Mistral y de las más jóvenes, Alfonsina Storni y Juana de Ibarbourou»[10]. (El subrayado es mío.) El fragmento seleccionado para integrar la «historia y crítica» de la poesía de Agustini es una breve sección del estudio preliminar de Manuel Alvar para su edición de *Poesías completas* de Agustini de 1971; más aún, la selección de este breve fragmento anota tal vez lo más intrascendente en una historia literaria: la adjetivación en la poesía de Agustini.

La *Historia de la literatura hispanoamericana* del crítico italiano Giuseppe Bellini es el tercer ejemplo. Fue publicada en España en 1986 y dedica dos capítulos a la literatura de fin de siglo: el capítulo XI, «Del Romanticismo al Modernismo» y el capítulo XII, «Darío y la difusión del Modernismo». Bellini incluye prácticamente a los mismos autores que incluye Luis Íñigo Madrigal, y concluye el capítulo XII con un encabezamiento, similar a la categorización de Goic de «Postmodernismo», seguido del subtítulo «Poesía de mujeres», bajo el cual se explica la literatura femenina como «un *singular* florecimiento poético fe-

[10] Cedomil Goič, *Historia y crítica de la literatura hispanoamericana, Del Romanticismo al Modernismo*, t. 2, Barcelona, Editorial Crítica, 1991, página 493. Véase también el artículo de Uruguay Cortazzo, «La hermenéutica machista. Delmira Agustini en la crítica de Zum Felde» ms. sin publicar.

menino». Creo que en este caso, la palabra clave es *singular*. La creación literaria femenina es un fenómeno singular, y separado de la producción literaria «normal» (?) masculina. En dos páginas y media aborda la compleja contribución de las mujeres de letras al Modernismo hispanoamericano. Debo decir a su favor que Bellini tiene el buen criterio de al menos mencionar tres escritoras del periodo: Delmira Agustini, María Eugenia Vaz Ferreira y Alfonsina Storni.

No sorprende que cada historiador utilice diferentes criterios; lo curioso, sin duda, es que parecen coincidir en cuanto a la aplicación de los criterios de marginación y exclusión para la obra poética femenina. Ambos refuerzan la preeminencia de la visión falocéntrica y patriarcal de la historiografía de la literatura hispanoamericana para tratar el movimiento modernista.

Esta manipulación segregacionista no acaba en la práctica de la marginación, como sería en el caso de Delmira Agustini, sino que se extiende a otras prácticas críticas cuyas consecuencias son aún insidiosas. Para ilustrar esta postura de la crítica, es necesario revisar los juicios —inconscientemente elaborados, supongo— de la crítica falocéntrica según la practicaron no sólo los hombres, sino también algunas mujeres de clara inteligencia como Luisa Luisi o de Clara Silva[11], ambas uruguayas, dedicadas al estudio de la cultura literaria de su país. Esta crítica sienta un fuerte precedente en el Uruguay, el cual solamente ahora comienza a cuestionarse.

En el estudio preliminar a la edición de las *Poesías* de Delmira Agustini preparada por Ovidio Fernández Ríos, Luisa Luisi con la mejor intención del mundo y la admiración grande que le profesa a su compatriota observa:

> Si Delmira hubiera nacido en un medio intelectual, y sus fuerzas dionisíacas hubieran sido disciplinadas por el

---

[11] En este trabajo sólo me ocuparé parcialmente de Luisa Luisi. En mi estudio *El espejo profundo del deseo. La poesía de Delmira Agustini,* en preparación, analizo esta problemática con mayor amplitud, y dedico una sección al trabajo crítico de Clara Silva sobre Delmira Agustini.

estudio y la cultura, habría sido acaso una cabeza luminosa y bien organizada, un talento claro que se hubiera destacado en cualquier actividad intelectual... pero no habría producido esa poesía suya desmelenada e impetuosa como un torrente, avasalladora y deslumbrante, de la cual están muy lejos de haber sido extraídos aún todos los tesoros. Porque esos tesoros invalorables, de *cuyo precio no pudo ella misma darse cuenta, estaban **más allá** de su propia inteligencia, en el mundo en que se movía como una alucinada, fuera de la lógica simple de su vulgar existencia de muchacha burguesa*[12] .(El énfasis en cursiva es mío; salvo la letra gruesa, que es de la propia Luisi.)

Este juicio de valor de Luisa Luisi en 1944, repetido con alguna variación por otros críticos uruguayos de renombre sobre la obra de Delmira Agustini y sobre la cultura literaria femenina, es recurrente a lo largo del siglo[13].

¿A qué se debe que la obra de Agustini —o de otras autoras— genere este tipo de lectura que establece un corte tajante entre la autora y su producción? ¿Por qué se insistió tanto en la carencia de percepción por parte de Agustini para entender la dimensión de su propia obra? ¿Qué implicaciones tiene esta interpretación de la capacidad

---

[12] Delmira Agustini, *Poesías*, Ovidio Fernández Ríos, editor, con un estudio de Luisa Luisi, Montevideo, Claudio García & Cía., 1944, páginas 25-26.

[13] Prólogo de Raúl Montero Bustamante a la edición de las *Obras completas*, 1940: «Quien esto escribe tuvo ocasión de observar el fenómeno platónico. Una tarde del año 1906, le fue anunciada la visita de la poetisa a quien acompañaba su padre. La joven musa estaba en el esplendor de la juventud y de la belleza. Traía en sus manos su primera colección de versos y sonreía tímidamente, en silencio, mientras su padre exponía el caso de la niña prodigio, que comenzaba a *interesar a los hombres de letras de la época*. Nada agregó ella; y luego de dejar la colección sobre la mesa, se fue en silencio, como había llegado, mirando vagamente con sus ojos sonámbulos, velados por el ensortijado cabello rubio que caía en ondas sobre su frente y le orlaba el rostro. Aquella pequeña Ofelia que pasó como una sombra por la sala, había dejado, sin embargo, una colección de carillas incandescentes, como si en ellas Eros y Safo hubieran escrito con sangre sus amores. ¿No era esto, acaso, adivinación? ¿No lo siguió siendo en sus libros sucesivos? ¿No lo fueron todos esos poemas que creó su sensibilidad y su imaginación al margen de toda realidad objetiva?»

intelectual y racional de Agustini para entender su obra?
El conflicto, reside, al parecer, en la batalla entre la intuición, *propia* de la mujer, y la razón, *propia* del hombre, según asume la cultura patriarcal dominante. No obstante,
este mismo discurso crítico no deja de ser notablemente
ambiguo.

La póetica modernista
de Delmira Agustini

Los poemas de *El libro blanco* (*Frágil*) se insertan en un
comienzo dentro de la estética modernista de fin de siglo,
el de los paisajes multifacéticos de cultura, según la pro-
puesta de Pedro Salinas en su estudio sobre Rubén Darío[14]. Esto es, el material poético que alimenta y configu-
ra una buena parte de estos poemas está constituido por
fragmentos de otras creaciones artísticas transformados
por la imaginación antirrealista y antinaturalista en su
expresión más amplia. Estos fragmentos recogen *en brico-
lage* elementos provenientes de la cultura helénica, del siglo XVIII francés a través de la visión de los parnasianos
franceses, elementos de la estética simbolista y prerrafae-
lita del XIX, y elementos de la estética barroca transfigura-
dos desde las artes plásticas. Incluso se propone una nueva versión que mezcla ambos ingredientes. Asimismo, la
actividad de *bricoleur fin de siècle* reconstruye fragmentos
históricos con sabor y textura medievales o reconstruye
temas y figuras mitológicas griegas y escandinavas. En la
poesía de Delmira Agustini se incorpora como material
poético los hilos temáticos más importantes que había
desarrollado la poética modernista, de la cual parte Agustini. Pero este recorrido por la cultura precedente con
cierta intención recolectora no obedece a una modalidad
incorporativa y recreativa romántica, sino que constituye
más bien un deseo de reestructurar el arte y estetizar la

---

[14] Pedro Salinas, *La poesía de Rubén Darío. Ensayo sobre el tema y los temas
del poeta,* Buenos Aires, Losada, 1948, 1968.

realidad inestable sobre una base nueva, metafórica, en vez de metonímica, mediante la incorporación de motivos, ritmos y patrones pertenecientes a la tradición mítica o histórica[15].

A esta poeta le interesan estos paisajes de cultura literaria hispanoamericana y francesa de fin de siglo para su obra, cuya familiaridad proviene de la obra de Baudelaire, Hoffmann, Rubén Darío, D'Annunzio, Samain, Nervo, Villaespesa y Lugones. Este proceso de apropiación de esos elementos culturales no puede ser interpretado por la crítica —como ha sido hasta hoy— solamente gracias a la intuición femenina, puesto que niega de alguna manera la facultad intelectual y cognitiva de la artista.

Delmira Agustini decide publicar su primer libro de poemas en 1907, año memorable para el inicio de una nueva revolución en el arte: la exposición de *Les Demoiselles d'Avignon* de Picasso en París que inaugura el cubismo en Europa. Contemporánea a las actividades artísticas de París es la estancia de otro uruguayo en Barcelona, el pintor Torres García que trabajaba con Gaudí. Es decir, que la vitalidad creadora de la cultura artística hispánica se da en espacios múltiples y diversos, que revelan conexiones en la creación artística que hacen de esta época una de las más productivas de las culturas hispánicas de ambos lados del Atlántico.

En el Montevideo de esta época, al igual que otros centros urbanos, el ambiente cultural y artístico está marcado por el espíritu modernista fin de siglo, influenciado por la estética visual del *Art Nouveau,* cuyos signos pictóricos de la línea asimétrica, ondulante y vegetal se iban incorporando progresivamente al paisaje arquitectónico interior y exterior de la ciudad rioplatense.

Este Montevideo de principios de siglo es el que va a sentirse fascinado con la figura de la joven poeta Delmira Agustini, tan elogiada por su precocidad, y que se pro-

---

[15] David Lodge, «Historicism and Literary History: Mapping The Modern Period», 10 (1979), págs. 547-55. Ésta es mi traducción parafraseada.

nuncia con exaltado fervor sobre su belleza y juventud a la vez que ensalza los méritos literarios intuitivos de la poeta. «Icono femenino», «Pitonisa de Eros», «poetisa centelleante», «núbil flama egregia», son algunos de los epítetos que Delmira Agustini ha inspirado acerca de su persona. Estas exuberancias muy de época en realidad, han producido, sin embargo, el efecto negativo de haber enfatizado la biografía de la autora sobre su producción poética, estudiada fragmentariamente, y de haber reemplazado, en cierta manera, probables estudios sobre su poesía, sólo comentada en esbozos biográficos basados sobre lo poco que se sabe y lo mucho que se ha especulado acerca de su vida personal. En breve, lo que abunda es el comentario breve y epocal.

Sin embargo, al reflexionar sobre las implicaciones de este tipo de recepción a la obra de Agustini, comienzan a surgir una serie de interrogantes de entre los silencios e intersticios del comentario crítico sobre la figura pública y literaria de esta original voz modernista.

El primero de estos interrogantes tiene que ver con el lugar que ocupa en el círculo intelectual de su generación y con la percepción del lugar que Agustini ocupa en la estimación de sus contemporáneos. Entre ellos se destaca la voz de Alberto Zum Felde, en particular, por su triple papel de testigo, historiador y crítico de la generación de 1900, a la que pertenece Delmira Agustini.

Un *témoin du siècle*, Zum Felde conoció personalmente a Delmira cuando se acababa de separar de su marido, y fue uno de los que percibió en su poesía una visión profunda y nueva. Delmira había concebido una poesía que, de manera original, expandía el discurso poético modernista a terrenos todavía no explorados. Escuchemos el entusiasmo y la emoción con la que Zum Felde saluda públicamente a Delmira en enero de 1914, poco antes de la publicación de *Los cálices vacíos*:

> No hago hipérbole. Sois para mí un milagro; un ser de excepción; una criatura de privilegio ungida por el destino con el don de las revelaciones. Siento por vos el respe-

to y el amor que inspiran los Elegidos; y vos sois una elegida, porque traéis a la vida la misión de decir lo que nadie había dicho como vos, porque *habláis el lenguaje nuevo de una realidad hasta ahora muda;* porque descorréis, con vuestras manos pálidas de sacerdotisa, los velos del misterio inquietante[16]. (Énfasis mío.)

Más tarde, en 1931, cuando publica *Proceso intelectual del Uruguay,* obra clave para la historia intelectual de Uruguay, publicada en 1930, Zum Felde agrupa en una misma generación a los escritores y escritoras que en Uruguay comparten una marca común, la de proponer un cambio en el rumbo de esa literatura, y entre ellos está, sin ninguna duda, Delmira Agustini, criterio, que, como vimos en la sección anterior, no fue seguido por ninguno de los editores de las historiografías más recientes. La caracterización de la generación de 1900 de Zum Felde es antitética en cuanto que es a la vez una visión crepuscular y dorada entre las letras uruguayas:

> Así, bajo el desolado signo de la Decadencia apareció en el crepúsculo del siglo aquella generación intelectual que, no obstante, habría de dar a las letras uruguayas nombres y obras de categoría superior a las logradas hasta entonces; tales los de Rodó, Reyles, Viana, los dos Vaz Ferreira, Herrera y Ressig, Delmira Agustini, Florencio Sánches, Horacio Quiroga[17].

El acertado criterio de Zum Felde asigna a esta generación el doble sino de ser una de las más brillantes de Uruguay, al tiempo que su mirada crítica la ubica «bajo el desolado signo de la Decadencia». Esta noción de decadencia, tomada de Europa, define también en Uruguay a esta época «dorada» de la producción literaria de principios de siglo. Zum Felde la entiende

---

[16] «Carta abierta» en *El día,* Montevideo, 21 de febrero de 1914.
[17] Alberto Zum Felde, *Proceso intelectual del Uruguay,* Montevideo, Claridad, 1941, pág. 199.

en el sentido histórico-cultural en que este término se emplea con respecto a la época que comprende los últimos lustros del siglo XIX (y primeros de XX), no significa en modo alguno decaimiento e inferioridad literaria, sino acaso lo contrario. Épocas de *decadencia* [subrayado de Z.F.], en el sentido de la potencialidad biológica o de los valores ideales, época de curva descendente, de fatigado retorno, de «tedium vitae», épocas otoñales en que una voluptuosidad de soñar parece haber sustituido a la voluntad de vivir en las épocas jóvenes y ascendentes, tiene una madurez semejante a la de los frutos que ya van a desprenderse del árbol, amoratando su brillo y adquiriendo un ambiguo sabor más deleitoso[18].

E insiste en su visión antitética:

Precisamente, en tales *decadencias* [énfasis de Z.F.] suele aumentar la riqueza de la filosofía y del arte, no en la creación de obras fundamentales, quizá, pero sí en el lujo, más compleja, más sutil, y más suntuosa en las formas todas de su cultura que esa del «fin de siglo» XIX, cuyo imperio crepuscular se prolonga, amortiguándose, dos décadas de nuestro siglo[19].

Dos rasgos adicionales que Zum Felde asigna a esta generación son el escepticismo y el individualismo; es una generación de artistas dominados por la incertidumbre que produce el vacío metafísico, a la vez que carece de fe y de visión de futuro. De allí que Zum Zelde construya el esteticismo modernista de estos poetas basandose en figuraciones de una estética del vacío: *apariencia, sueño, soledad*: el esteticismo de Herrera y Ressig es «áureo juego exquisito con las bellas *apariencias* del Universo, sin todas las *esencias*)» (énfasis de Z.F.); «el erotismo trágico de Delmira Agustini» es «grito angustioso del *sueño* perdido en la *selva oscura* del instinto (énfasis de Z.F.); y el pesimismo de María Eugenia como «nocturno clamor de la *soledad* sin esperanza.»

---

18 *Ibídem,* nota 13, págs. 199-200.
19 *Ibídem,* nota 13, págs. 199-200.

Zum Felde, como ya lo indicamos, había percibido certeramente la nueva visión del lenguaje erótico de Agustini: «habláis el lenguaje nuevo de una realidad hasta ahora muda». Agustini había construido una póetica que interrogaba la función de la sexualidad en el pensamiento poético: lo erótico reside en la posibilidad de incursionar más allá de los límites en los que el yo se siente, o está, restringido, al tiempo que realiza un acto de transgresión. Es la traslación del yo a la casa oscura y clara del deseo, habitada por seres cuyas voces articulan la visión del imaginario erótico-poético femenino:

> Acaso fue un marco de ilusión,
> En el profundo espejo del deseo
> O fue divina y simplemente en vida
> Que yo te vi velar mi sueño la otra noche?

> (Visión)

Lo que aquí ocurre es que, en realidad, la poesía de Delmira Agustini desestabiliza el pensamiento crítico de sus contemporáneos, y entre ellos, el discurso de Zum Felde de *Proceso intelectual del Uruguay,* en el que se nota un cambio en la lectura de la obra de Agustini, que tendrá importante ascendencia en la crítica posterior. En este discurso crítico que genera la persona y obra de la poeta, se nota marcadamente la preocupación específica de enmarcar la obra poética de Agustini dentro de un halo de precocidad, misterio y conocimiento intuitivo portentoso, y persuasivamente, logra dejar su trazo indeleble en toda la crítica posterior (Luisi, Silva, Cáceres, es decir, hasta en la crítica escrita por mujeres). Esta crítica buscaba amortiguar el contenido erótico de esta poesía, que había producido tanta admiración en un comienzo y tanto desconcierto después entre los contemporáneos de Agustini. No era posible, ni aceptable, este discurso abiertamente erótico de la sexualidad femenina. Desafiaba la creatividad masculina, viril, vigorosa, de la experiencia sexual femenina articulada en voz de mujer pero *desde* el imaginario masculino, es decir, precisamente, desde la experiencia erótica falocentrista, siempre considerada provincia masculina. Observemos la construcción del discurso crítico de Zum Felde, en *Proceso intelectual del Uruguay:*

> *El libro blanco* es, como su título lo indica, el casto libro de su adolescencia. Una *alba* vestidura virginal —traje de *marmóreas vestales* o de *seráficas eucaristías*— oculta, tras las alas plegadas del pudor, toda carnal desnudez y todo instinto erótico. La poesía aparece en él, como hecha de puro pensamiento; sus motivos y sus imágenes sólo expresan el grave vuelo de las ideas sobre la realidad del mundo; y sus sueños son del más puro *platonismo moral*. *Una alta facultad de abstracción ideal se manifiesta en la virgen adolescente*[20]. (El énfasis es mío.)

Enseguida, se articula la teoría principal en los siguientes términos: «En términos vulgares, podría decirse que en ella el *cerebro* habló antes que el *corazón*»[21].

Retomemos la insistencia del discurso en percibir *El libro blanco* como un *casto libro* de adolescente. Los poemas están hechos de *las ideas sobre la realidad del mundo* y están sostenidos en el *más puro platonismo moral*. Es decir, una poesía de modalidad trascendente. Más adelante explica que propone esta interpretación porque de otro modo

> no se la juzgaría bien si se la tomara simplemente como una *poetisa erótica, en el sentido corriente del término.* Eso sería juzgarla no sólo superficial sino *groseramente,* acaso. Su *erotismo es de raíz metafísica* y está como *sublimizado* por la tortura del espíritu, porque su voluptuosidad es dolorosa y sombría, y su pasión suprema de vida se alimenta más del *sueño evasivo* que de la realidad concreta[22].

---

[20] *Ibídem,* nota 13, pág. 318.
[21] *Ibídem,* nota 13, pág. 318.
[22] *Ibídem,* nota 13, pág. 319.

En este y otros momentos de su crítica subyace la intención de minimizar el erotismo, y puede que haya sido motivada por una preocupación moral, pero también revela el envés que inquieta al crítico y al discurso falocéntrico que este discurso erótico articula y representa, el que una mujer «virgen y adolescente» inscriba un discurso erótico desde la imaginación de una mujer. Una manera de recuperar el componente erótico falocéntrico es construirlo como erotismo *trascendente y viril*. La trascendencia y la virilidad son sólo atribuibles al varón. La inmanencia y la feminidad son los atributos de la mujer. Escuchemos a Zum Felde una vez más:

> Profundamente femenina, femenina hasta las raíces más oscuras y misteriosas del ser, la poesía de Delmira es también, *no obstante, de una virilidad de pensamiento,* por así decirlo, no alcanzada por ninguna otra poetisa, sólo encontrable en ella. La palabra *virilidad* parece, en este caso, dura, contradictoria y hasta absurda; quizá lo sea; pero, en verdad, no se halla otra, en nuestro limitado lenguaje de definiciones, *para significar esa facultad suya de abstracción metafísica y de energía verbal características de la mentalidad masculina*[23].

Aquí a la contradicción se la puede entender de la siguiente manera: la habilidad de un espíritu casto y virginal para imaginar la experiencia erótica se apoya en la «alta facultad de abstracción» con que se maneja la «virgen adolescente». Esa alta facultad para el pensamiento abstracto es sólo atribuible a la «mentalidad masculina», que es también capaz de des-erotizar el contenido del poema. Podríamos pensarlo como un desplazamiento del cuerpo, del deseo y de su productividad para inscribirlos en un registro abstracto y generalizador[24].

---

[23] *Ibídem,* nota 13, pág. 325.

[24] Referencia al trabajo de Kemy Oyarzún, «Edipo, autogestión y producción textual: Notas sobre crítica literaria feminista», pág. 609, en Hernán Vidal, editor, *Cultural and Historical Grounding for Hispanic and Luso-Brazilian Feminist Literary Criticism,* Literature and Human Rights, número 4, Institute for the Study of Ideologies and Literatures, Minneapolis, Minnesota, 1989.

En lecturas más recientes como la de Arturo S. Visca, se explica partes del texto del poema como «un verdadero estado de agonía» o de «vivir en la muerte», originado en «un pensamiento mudo como una herida» de este modo:

> Quizá quepa observar con menos engolamiento, pero mayor exactitud, la poetisa debió escribir «sentimiento» en vez de pensamiento, ganando así *en acuerdo con esa su íntima naturaleza (fue genial por su capacidad para sentir, pero no por su capacidad para pensar...*[25] (Énfasis mío.)

Esta recepción nos hace retornar a la inteligente pregunta de Virginia Woolf: «Quién podrá medir el calor y la violencia del corazón de un poeta cuando se halla enredado en cuerpo de mujer?[26]. Esta práctica marginalizante del discurso crítico plantea una serie de problemas para la crítica feminista, que viene realizando «una labor resemantizadora y sobre todo revaloradora... frente a las tácticas excluyentes del discurso hegemónico»[27]. Es en parte lo que propone esta introducción.

---

[25] A. Sergio Visca, *Correspondencia íntima de Delmira Agustini y tres versiones de «lo Inefable»*, Montevideo, Biblioteca Nacional, 1978, pág. 86.

[26] «Who shall measure the heat and violence of the poet's heart when caught and tangled in a woman's body?» Virginia Woolf, *A Room of Her Own*, 1929, Nueva York, Harcourt, Brace, Jovanovich, 1957, página 79.

[27] Kemy Oyarzún, «Edipo, autogestión y producción textual: Notas sobre crítica literaria feminista», págs. 615-616, en Hernán Vidal, editor, *Cultural and Historical Grounding for Hispanic and Luso-Brazilian Feminist Literary Criticism*, Literature and Human Rights núm. 4, Institute for the Study of Ideologies and Literatures, Minneapolis, Minnesota, 1989.

Criterio de esta edición

La poesía de Delmira Agustini ha sido publicada profusamente en periódicos, revistas literarias y antologías diversas a lo largo y ancho del mundo de habla hispana. También existen varias ediciones que aspiran a ser ediciones fidedignas de las «Poesías completas». Lo que tienen en común estas ediciones, si se confrontan, es el número de discrepancias textuales y de selección de textos que ofrecen.

La obra completa de Delmira Agustini consiste en los siguientes libros de poemas: *El libro blanco (Frágil)* de 1907, *Cantos de la mañana* de 1910, *Los cálices vacíos* de 1913, publicados bajo la supervisión de la autora. A estos tres volúmenes se suman dieciocho poemas escritos entre 1903 y 1907, publicados en las revistas literarias *La Alborada, Apolo* y *Rojo y Blanco* de Montevideo. Póstumamente, se publicaron otros poemas reunidos bajo el título *El rosario de Eros,* con la supervisión de la familia. Nuestra edición reúne casi todos los poemas publicados e inéditos de Agustini, según hemos constatado con los originales que forman parte del Archivo Delmira Agustini. Sin embargo, quedan algunos problemas textuales que aclarar. Por esta razón, para establecer los textos de los tres poemarios publicados con la supervisión de la poeta, he tenido en cuenta tres fuentes principales: a) las versiones originales de los poemas provenientes de los cuadernos de la poeta; b) los textos de los poemas publicados por Delmira Agustini; c) las correcciones manuscritas que aparecen en las primeras ediciones de *El libro blanco (Frágil), Cantos de la*

41

mañana y *Los cálices vacíos,* que se encuentran en el Archivo Delmira Agustini de la Biblioteca Nacional de Montevideo, Uruguay. Para los textos de los poemas publicados póstumamente, he tenido en cuenta tres fuentes principales: a) los manuscritos de los poemas que están en el Archivo Delmira Agustini; b) las transcripciones manuscritas de dichos textos de Santiago y Antonio Agustini —padre y hermano de la poeta, respectivamente—; c) la primera edición póstuma de las *Obras completas* de 1924, supervisada por la familia de Delmira Agustini.

Finalmente, revisé las ediciones de Alberto Zum Felde, de Claudio García, de Esther de Cáceres y de Manuel Alvar, por ser las que han tenido más difusión.

La conclusión de esta investigación indica que la obra poética de Delmira Agustini consiste en ciento veintiocho poemas y tres textos poéticos en prosa. La confrontación de textos que he realizado indica que los criterios editoriales utilizados por las ediciones existentes hasta hoy son bastante arbitrarios en algunos casos. Los particulares relacionados con cada poemario se señalan en la «Advertencia» que precede los textos de cada libro de poemas de esta edición.

Las razones indicadas arriba, junto al deseo de que la obra de esta importante poeta modernista tenga mayor difusión, han motivado el apoyo de Ediciones Cátedra a esta nueva edición de las «Poesías completas» de Delmira Agustini.

Como casi todos los poetas hispanoamericanos de su época, Delmira Agustini publicó numerosos poemas en revistas, suplementos literarios de periódicos y antologías de Uruguay y de otros países de América Latina. En la mayoría de los originales y en algunos textos ya publicados se observa un afán deliberado de corrección. La mayor parte de estas correcciones de mano de la autora fueron incorporadas a los poemas que forman parte del volumen *Los cálices vacíos.* A estos y otros detalles hago referencia en la «Advertencia».

Para establecer las versiones definitivas de los textos de Agustini, debe tenerse en cuenta que la obra no fue ordenada por su autora debido a su prematura muerte. Por esta razón, la primera edición completa fue ordenada y supervisada por la familia para su publicación en 1924, en ocasión de cumplirse el décimo aniversario de su muerte. Esta edición se titula *Obras Completas de Delmira Agustini*, tomo I, *El rosario de Eros* y tomo II, *Los astros del abismo* y fue publicada por Maximino García, Editores en 1924. Esta *es* la primera edición de las obras completas de la poeta uruguaya. El primer tomo, *El rosario de Eros*, contiene dieciséis poemas que quedaron sin publicarse en forma de poemario a la muerte de la poeta. Incluye además los poemas de *Los cálices vacíos*, y cinco poemas de *Cantos de la mañana*. El tomo II, *Los astros del abismo*, no contiene ningún texto nuevo o inédito. Este volumen consta de tres partes: «Otros *Cantos de la mañana*» con trece poemas de *Cantos de la mañana*, «Pequeños motivos» que incluye «Poemas», y «*El libro blanco*» con trece poemas de *El libro blanco (Frágil)* y un texto en prosa, «Ana».

Debemos al trabajo de Ofelia M. B. de Benvenuto y Clara Silva la recopilación de una buena parte de la información que hoy tenemos de Delmira Agustini. Ofelia Machado fue quien primero descubrió los papeles y manuscritos de Agustini en unos arcones de la quinta de los Agustini en Sayago. Al morir Antonio Agustini, el último de los miembros de la familia Agustini, no había quedado nadie a cargo de los papeles de la poeta. Ofelia Machado los buscó, los ordenó y luego publicó en 1940 un valioso libro titulado *Delmira Agustini*, en el que da noticia de la vida de Agustini, y describe detalladamente los cuadernos y manuscritos de la poeta que posteriormente fueron donados a la sección del Archivo de la Biblioteca Nacional de Montevideo bajo el título «Archivo Delmira Agustini» en la sección Literatura Uruguaya. Clara Silva publicó dos libros que reconstruyen fragmentos de la vida de la poeta. En ambos volúmenes, Silva incluye fotos, documentos y textos de cartas personales de Agustini que nos permiten reconstruir hoy un panorama aún más completo de su vida y de su tiempo.

Las muchas discrepancias editoriales que ofrece la

obra poética de Delmira Agustini publicada por otros, junto a ciertas decisiones editoriales hechas a base de criterios que me parecen arbitrarios, me embarcaron en una revisión general de dichas ediciones, cuyo resultado presentamos en esta nueva edición de las *Poesías completas* de Delmira Agustini. Es necesario, pues, hacer referencia a estos problemas editoriales para que el panorama general acerca de los textos comience a aclararse. Me referiré primero a las obras publicadas en revistas y periódicos y en colecciones de poemas por la autora, en segundo lugar, a la edición de 1924, y finalmente, a los textos publicados póstumamente.

Las obras publicadas por Delmira Agustini

La poeta comenzó su carrera literaria con la publicación de poemas en revistas de Uruguay, de Buenos Aires, de América Latina y de España. La mayoría de estos textos fueron posteriormente recogidos en los poemarios preparados por ella. (Véase la sección *La Alborada* de esta edición para otros detalles.)

El libro blanco (Frágil) fue la primera colección de poemas que preparó Delmira Agustini en Montevideo en 1907 con apoyo de O. M. Bertani, con carátula de Alphenore Goby y prólogo del escritor uruguayo Manuel Medina Betancort. Este volumen consta de cincuenta y dos poemas; en la primera parte se incluyen cuarenta y cinco textos; en la segunda, bajo el subtítulo de *Orla Rosa,* aparecen los siete restantes. Agustini hizo algunas correcciones sobre la edición de 1907 que forman parte del Archivo. Los cambios están marcados en los poemas, e indicados en nota a pie de página.

Cantos de la mañana fue publicado en 1910 por O. M. Bertani, editor, en Montevideo, con prólogo del escritor uruguayo Pérez y Curis. Incluye un conjunto de «Juicios críticos sobre la poetisa» al final del volumen. Este libro consta de diecisiete poemas.

Los cálices vacíos. (Poesías) fue el último libro preparado por Delmira Agustini. Lo precede un retrato fotográfico de Delmira por el pintor Carlos Castellanos y, al igual que los dos anteriores, fue publicado por O.M. Bertani en Montevideo en 1913. Abre el volumen un «Pórtico» de Rubén Darío, seguido de un poema en francés. Los poemas están dispuestos en cinco partes: «Los cálices vacíos» contiene diez poemas; «Lis púrpura» contiene tres poemas; «De fuego, de sangre y de sombra» incluye diez poemas. La poeta incluye además los diecisiete poemas de *Cantos de la mañana* y una selección de veintinueve poemas de *El libro blanco (Frágil)*. Una sección titulada «Juicios críticos (Algunos párrafos)» cierra el libro.

En 1924, diez años después de la muerte de la poeta, su familia autorizó a Maximino García, editor, la publicación de *Obras Completas* de Delmira Agustini. Tomo I. *El rosario de Eros;* tomo II. *Los astros del abismo.* La edición fue dirigida por el escritor Vicente Salaverry, quien incluye un texto titulado «Rumbo» al comienzo del primer tomo. Enseguida aparece una advertencia que dice así:

> Junto con estas composiciones que se publican en libro por primera vez, la familia de la eximia artista guardaba numerosos borradores. Son versos también. Algunos inconclusos; los más completamente ininteligibles. De ahí que, respetuoso con la obra de Delmira Agustini, el editor se limita a insertar lo que aparecía completamente concluido o a la espera del último retoque: Se sabe que, para un artista, no hay página que en las sucesivas reediciones no merezca, por leve, por ligero que sea, un retoque en la forma.

El primer volumen cierra con un texto titulado «Ante el cadáver de la poetisa. (Crónica hecha en la capilla ardiente)» de Vicente Salaverry, que éste había leído el día del entierro de Delmira. La edición de 1924 ofrece algunas variantes con los poemarios originales en cuanto a la ordenación de los poemas. Esta edición es importante porque, además de la obra ya publicada de Agustini, se incluye por primera vez los poemas inéditos que abren el tomo I bajo el título «El rosario de Eros» con diecisiete poemas.

Con esta edición revisada por Santiago Agustini, el padre, y Antonio Agustini, su hermano, quedan publicados casi todos los textos de la poeta uruguaya.

Los textos que reproducimos en esta edición, con variantes procedentes de sus cuadernos, reproducen los textos de los tres volúmunes preparados por la autora; hemos incluido, asimismo, los poemas inéditos publicados en el tomo I de *Obras completas* de 1924. No hemos incorporado todas las variantes de los textos, pero hemos notado las que son más importantes, pues el registro y análisis de la inestabilidad textual hasta su versión final es objeto de otra clase de edición que la que presentamos aquí. Lo que estos manuscritos revelan claramente es el proceso de reescritura constante tanto en las versiones manuscritas como en las ya corregidas y pasadas en limpio por el padre y el hermano. La última sección de esta edición incluye veintidós textos inéditos y otros poco difundidos.

Otras ediciones:

Creo que es necesario hacer referencia a cuatro ediciones de la poesía de Agustini, las que han circulado más, para aclarar el lugar de la presente edición:

a) 1924 y 1944. *Poesías* con un estudio de Luisa Luisi, editado por Claudio García & Cia en Montevideo. Ésta es la edición más completa de todas las existentes, sigue el orden de las primeras ediciones dentro de un orden cronológico, pero omite los prólogos y juicios sobre la poeta, secciones que son parte de las primeras ediciones de *El libro blanco (Frágil)*, *Cantos de la mañana* y *Los cálices vacíos.*

b) En 1940 se comisiona la primera versión de *Obra poética* (completa). Es la edición oficial del Ministerio de Instrucción Pública, con prólogo de Raúl Montero Bustamante. Esta edición se retiró de circulación porque contenía numerosas erratas.

c) 1944. *Poesías completas* con prólogo de Alberto Zum

Felde, publicado en Buenos Aires por Editorial Losada y de las que hay varias ediciones. El criterio utilizado es «un sistema mixto, que concilia y satisface las dos exigencias: selección representativa y conjunto de obra». La primera parte es una selección antológica de los poemas que más le gustan a Zum Felde; la segunda incluye todas las composiciones de los tres libros y algunas de las publicadas en 1924.

d) 1971. *Poesías completas*. Edición, prólogo y notas de Manuel Alvar, publicado por Editorial Labor en Barcelona. El criterio de Alvar tiene en cuenta las variantes de algunos poemas y describe así su criterio: «Me he atenido a las que se hicieron en vida» de Delmira Agustini, «tomando como base *Los cálices vacíos,* anotando las variantes de otras ediciones». Faltan los poemas de *El rosario de Eros.*

Agradecimientos

Deseo agradecer la generosa e imprescindible ayuda de Mireya Callejas, Directora del Archivo de la Biblioteca Nacional de Montevideo durante mi visita de consulta a esa institución en 1991. Por este trabajo y otras razones, estoy en deuda con dos poetas uruguayos, Enrique Fierro e Ida Vitale. Quiero expresarles aquí mi agradecimiento por su amistad, su inteligencia y su generosidad de espíritu. Asimismo, quiero dejar constancia de mi agradecimiento a René de Costa por su apoyo entusiasta en esta empresa poética.

Finalmente, agradezco la ayuda financiera otorgada por el *Faculty Research Council* de la Universidad de Missouri-Columbia durante el verano de 1991 para viajar a Montevideo.

M.G.P

Bibliografía

LIBROS DE VERSOS DE DELMIRA AGUSTINI

El número de ediciones de la obra poética de Delmira Agustini consta hasta la fecha de cuarenta y dos títulos. A continuación se listan las primeras ediciones; tres de las ediciones que han tenido mayor difusión y los estudios más importantes sobre la obra poética de Agustini.

El libro blanco (Frágil), Montevideo, O. M. Bertani, 1907.
Cantos de la mañana, Montevideo, O. M. Bertani, 1910.
Los cálices vacíos, Montevideo, O. M. Bertani, 1913.
Obras completas de Delmira Agustini, tomo I. *El rosario de Eros;* tomo II. *Los astros del abismo,* Montevideo, Maximino García, editor, 1924.
Poesías, con un estudio de Luisa Luisi, Montevideo, Claudio García & Cía. Editores, 1944.
Poesías completas, Prólogo y selección de Alberto Zum Felde, Buenos Aires, Editorial Losada, 1944.
Antología, Selección y prólogo de Esther de Cáceres, Montevideo, Biblioteca Artigas. Colección de Clásicos Uruguayos, 1965.
Poesías completas, Edición, prólogo y notas de Manuel Alvar, Barcelona, Editorial Labor, 1971.

SELECCIÓN DE ESTUDIOS SOBRE DELMIRA AGUSTINI

ALVAR, Manuel, Prólogo a *Poesías completas,* Barcelona, Editorial Labor, 1971.
ÁLVAREZ, Mario, *Delmira Agustini,* Montevideo, Arca, 1979.

BARRET, Rafael, «Sobre *Cantos de la mañana, Obras completas,* Buenos Aires, Americalee, 1943.

BURT, John R., «Agustini's Muse», *Chasqui,* núm. 1, vol XVII, mayo, 1988, págs. 61-65.

CABRERA, Sarandy, «Las poetisas del 900» en *La literatura uruguaya del novecientos,* Montevideo, Número, 1950.

CÁCERES, Esther de, Prólogo a *Delmira Agustini. Antología,* Montevideo, Colección de Clásicos Uruguayos, vol. 69, 1965.

CORTAZZO, Uruguay, «Una hermenútica machista. Delmira Agustini en la crítica de Alberto Zum Felde». Manuscrito sin publicar.

— «Delmira contextual (Discusión de la tesis de Ileana Loureiro de Renfrew), *Revista de la Biblioteca Nacional,* núm. 26, diciembre 1989, Montevideo, Uruguay, págs. 49-66.

KIRKPATRICK, Gwen, «The limits of *Modernismo,* Delmira Agustini y Julio Herrera y Reissig», *Romance Quarterly,* 1989 Aug., 36:3, págs. 307-314.

LUISI, Luisa, «La poesía de Delmira Agustini» en Delmira Agustini, *Poesías,* Montevideo, Claudio García & Cía. Editores, 1944.

MACHADO DE BENVENUTO, Ofelia, *Delmira Agustini,* Montevideo, Editorial Ceibo, 1944.

MEDINA Vidal, Julio, *et al., Delmira Agustini,. Seis ensayos críticos,* Montevideo, Editorial Ciencias, 1982.

MOLLOY, Sylvia, «Dos lecturas del cisne; Rubén Darío y Delmira Agustini» en *La sartén por el mango,* Patricia E. González y Eliana Ortega, editoras, San Juan, P.R., Ediciones Huracán, 1984.

MONTERO BUSTAMANTE, Raúl, Prólogo a *Obras poéticas,* Montevideo, Ministerio de Instrucción Pública, 1940.

REAL DE AZÚA, Carlos, «Ambiente espiritual del 900» en *La literatura uruguaya del novecientos,* Montevideo, Número, 1950.

RENFREW, Nydia Ileana, *La imaginación en la obra de Delmira Agustini,* tesis doctoral, Dissertation Abstract International, Ann Arbor, Michigan, 1986.

RODRÍGUEZ MONEGAL, Emir, «La generación del 900», Montevideo, Número, 1950.

— *Sexo y poesía en el 900 uruguayo. Los extraños destinos de Roberto y Delmira,* Montevideo, Alfa, 1969.

SILVA, Clara, *Genio y figura de Delmira Agustini,* Buenos Aires, E.U.D.E.B.A., 1968.

— *Pasión y gloria de Delmira Agustini,* Buenos Aires, Editorial Losada, 1972.

VISCA, Alberto S., *Correspondencia íntima de Delmira Agustini y tres versiones de «Lo Inefable»*, Montevideo, Biblioteca Nacional, 1978.

VITALE, Ida, «Los cien años de Delmira Agustini», *Vuelta* (Sudamericana) 2 (1986), págs. 63-65.

ZAMBRANO, David, «Presencia de Baudelaire en la poesía hispanoamericana. Darío, Lugones, Delmira Agustini», *Cuadernos Americanos*, núm. 3, mayo-junio 1958, vol. XCIX.

ZADOYA, Concha, «La muerte en la poesía femenina latinoamericana», *Cuadernos Americanos*, núm. 5, sept-oct., 1953, volumen LXXI.

ZUM FELDE, Alberto, *Proceso intelectual del Uruguay y crítica de su literatura*, Montevideo, Claridad, 1944.

— Prólogo a *Poesías completas*, Buenos Aires, Editorial Losada, 1971.

— *Crítica de la literatura uruguaya*, Montevideo, Maximino García, 1921.

LA ALBORADA

Montevideo, Mayo 31 de 1903.   Año VII.—Núm. 272.

La Alborada

ADVERTENCIA

Delmira Agustini publicó numerosos poemas en periódicos y revistas de América Latina y España entre 1902 y 1914. Los diecisiete poemas incluidos aquí bajo el título de «La Alborada» se publicaron individualmente entre 1902 y 1903 en las revistas literarias *La Alborada, Apolo, Rojo y Blanco* y no fueron recogidos en libro por la poeta. Al final de cada texto se indica el nombre y fecha de publicación. El título de este grupo de poemas apareció por vez primera en la primera edición póstuma de las *Obras completas*.

Con respecto a estos poemas, debe notarse algunas modificaciones en la edición póstuma de las *Obras completas* de 1924, *El rosario de Eros,* Tomo I y *Los astros de abismo,* Tomo II, respectivamente— «autorizada y revisada por los herederos»— según aclara el colofón de la página dos del Tomo I. Las dos partes tituladas «La Alborada» (Primera parte y Segunda parte) forman parte del Tomo II. En la primera se incluyen los siguientes poemas: «La violeta»; «La esperanza»; «Ojos-nidos»; «En un álbum»; «En un álbum»; «¡Poesía!»; «Crepúsculo»; «La fantasía»; «Flor nocturna»; «En el álbum de la señorita E. T.»; «¡Artistas!»; «Clarobscuro»; «Fantasmas»; «La duda»; «Monóstrofe»; «Viene»; «Capricho». De éstos, «Ave de luz» y «Evocación» fueron publicados en la primera edición de *El libro blanco* de 1907. En la segunda parte se incluyen dieciocho poemas que pertenecen a los poemarios de la primera edición de *El libro blanco,* que no utiliza dicho encabezamiento. La decisión de la familia de alterar el orden de los poemas de la edición realizada por la poeta no es clara, y ha contribuido a crear cierta confusión en ediciones posteriores; por esta razón citamos en seguida los títulos de los poemas de esta parte, originalmente pertenecientes a *El libro blanco:* «El Arte»; «El austero»; «Astrólogos»; «Jirón de púrpura»; «Al vuelo»; «La musa gris»; «Arabesco»; «Nocturno hivernal»; «Visión de Otoño»; «Muerte magna»; «Tarde pálida»; «Medioeval»; «La miel»; «La canción del mendigo»; «Pasó la ilusión»; «Variaciones»; «Al claro de luna»; «Iniciación». Incluye además «Ana», un cuento en prosa poética que Delmira Agustini no llegó a publicar nunca.

LA VIOLETA*

Hay belleza en el lirio inmaculado
    De majestad emblema,
Hay belleza en el cáliz nacarino
    De la blanca azucena,
Hay belleza en la rosa purpurina
    Y en el albo reseda,
Hay belleza en la nítida corola
    De la nívea camelia,
Hay belleza en el pálido junquillo
    Y en la suave diamela,
Hay belleza en el triste pensamiento
    Y no hay flor en la cual no haya belleza,
Pero hay una que es flor entre las flores
    Con ser la más modesta,
Una flor de fragancia incomparable,
    Delicada y pequeña,
Una flor que en un lecho de esmeraldas
    Oculta su belleza,
Una flor que un encanto misterioso
    En su cáliz encierra,
Un encanto ideal indefinible,
    Que no hay flor que contenga,
Una flor para mí como ninguna,
    Una flor que se llama ¡la violeta!

* *La Petite Revue,* 18 de septiembre de 1902. Incluido en el tomo II de las *Obras completas* de 1924 en «La Alborada (Primera parte)».

sentido

LA ESPERANZA*

Soy el dulce consuelo del que sufre,
Soy bálsamo que alienta al afligido,
Y soy quien muchas veces salva al hombre
Del crimen o el suicidio.

Yo le sirvo al mortal que me alimenta
Contra el dolor de sin igual muralla,
Soy quien seca su llanto dolorido
Y calma su pesar ¡Soy la Esperanza!

---

* Sin fecha de publicación.

OJOS-NIDOS*

sentito pensato.

Para mi madre

Entre el espeso follaje
De una selva de pestañas
Hay dos nidos luminosos
Como dos flores fantásticas.
¡Nidos de negros fulgores!
¡De oscuras vibrantes llamas!

Y allá: dentro de esa selva
De follaje negro, espléndido,
En el fondo de esos nidos
Como flores de destellos,
¡Agita sus ígneas alas
El ave del Pensamiento!

---

* *La Alborada*, 2 de agosto de 1903.

EN UN ÁLBUM*

Cuando abriendo tu boca perfumada,
La voz dulce y perlada
De tu bella garganta haces brotar,
En voces de sirenas ideales,
Y en arpas de sonidos celestiales,
A mí me haces pensar.

Cuando miro tu cuello alabastrino
Y tu cuerpo divino
Que al de Venus la diosa ha de igualar,
Del mármol la blancura,
Y del cisne la olímpica figura,
Me haces recordar.

¡Cuántas veces ligera como un hada,
Te he visto yo ocupada
En las dulces tareas del hogar,
Y entonces a mi madre,
Y Carlota de Werther heroína,
Me has hecho recordar!

---

* Sin fecha de publicación. Era común a principios de siglo dedicar
un poema y escribirlo en el álbum de dicha persona. Estos poemas pro-
ceden de álbumes privados.

EN UN ÁLBUM*

La belleza más pura y delicada
Se refleja en tu rostro juvenil,
Eres ninfa risueña, eres un hada,
Eres flor de algún célico pensil.

Es tu espesa y sedosa cabellera
Una inmensa cascada de hebras de oro,
La corona de un rey jamás valiera
Lo que vale ese aurífero tesoro.

Dos azules zafiros son tus ojos,
Que iluminan tu rostro angelical,
Y tus labios delgados son tan rojos
Que podrían llamarse de coral.

Son tus manos dos blancas mariposas
O dos flores talladas en marfil,
Y tus frescas mejillas son dos rosas
Que recién ha entreabierto el sol de Abril.

Es mi estilo muy tosco e imperfecto
Y no puedo expresar, en su rudeza,
Lo que vale tu rostro tan perfecto,
Desbordante de célica belleza.

---

* Sin fecha de publicación.

¡POESÍA!*

¡Poesía inmortal, cantarte anhelo!
¡Mas mil esfuerzos he de hacer en vano!
¿Acaso puede al esplendente cielo
Subir altivo el infeliz gusano?

Tú eres la sirena misteriosa
Que atrae con su voz al navegante,
¡Eres la estrella blanca y luminosa!
¡El torrente espumoso y palpitante!

Eres la brisa perfumada y suave
Que juguetea en el vergel florido,
¡Eres la inquieta y trinadora ave
Que en el verde naranjo cuelga el nido!

Eres la onda de imperial grandeza
Que altiva rueda vomitando espuma,
¡Eres el cisne de sin par belleza
que surca el lodo sin manchar su pluma!

Eres la flor que al despuntar la aurora
Entreabre el cáliz de perfume lleno,
¡Una perla blanquísima que mora
Del mar del alma en el profundo seno!

¿Y yo quién soy, que en mi delirio anhelo
Alzar mi voz para ensalzar tus galas?
¡Un gusano que anhela ir hasta el cielo!
¡Que pretende volar sin tener alas!

---

* Primer poema publicado por Delmira Agustini, en *Rojo y Blanco*, 27 de septiembre de 1902.

nat.

CREPÚSCULO*

Ya del dulce crepúsculo
Hanse extendido los flotantes velos,
Gime el triste zorzal en la espesura,
Manso susurra en el follaje el viento.

En esta hora es el campo
Un edén de belleza incomparable,
Todo en él es sosiego, todo es calma,
Muere la luz y las tinieblas nacen.

De pálidas estrellas
A bordarse principia el firmamento,
El ángel renegrido de la noche
Sus alas de azabache ya está abriendo.

Mil níveas azucenas
Inundan de perfume el tibio ambiente,
Y el frondoso rosal rico de savia
Al peso de sus flores desfallece.

Varias flores nocturnas
Los broches de sus cálices desprenden,
Y áureos lampos semejan las luciérnagas
Entre las sombras que la noche extiende.

¿Qué atracción misteriosa
En esta hora indefinible encuentro?
¿Por qué a la viva luz del mediodía
Sus tenues resplandores yo prefiero?
Porque el crepúsculo en sus leves gasas

* *La Alborada,* 30 de noviembre de 1902 y en *La Petite Revue,* Año 1, número 15.

Guarda un algo sombrío, un algo tétrico,
Y en lo triste y sombrío siempre existe
La belleza que atrae en los funéreo,
En las tinieblas de la noche oscura,
Y en lo insondable del abismo inmenso,
¡La belleza más grande y atrayente,
La sublime belleza del misterio!

LA FANTASÍA*

La fantasía, misteriosa hada
A cuyo paso vagoroso, queda,
De perlas astros irisada nácar
Y níveas flores, delicada estela.

Es el astro celeste que nos guía
A la dulce región de la quimera
Por un albo camino que el ensueño
Formó con lirios, azahar y perlas.

Un camino ignorado para el vulgo
Y que sólo conocen los poetas,
Soñar es necesario para verlo
¡Y las almas vulgares nunca sueñan!

Es la maga ideal que nos envuelve
De la ilusión en el rosado velo.
¡La copa de marfil en que apuramos
El néctar delicioso del ensueño!

Es la llave de oro con que abrimos
La mansión ideal de la poesía,
¡Y en la mente agitada del artista
Es un rayo de luz la fantasía!

---

* *La Alborada,* 14 de diciembre de 1902.

FLOR NOCTURNA*

Cuando la noche tendiendo
Su manto de gasa negra
La silenciosa campiña
Envuelve en sombras funéreas,
Cuando allá en el firmamento
Las argentinas estrellas
Semejan ígneas pupilas
Que inmóviles nos contemplan,
Cuando las aves nocturnas
Exhalan lúgubres quejas
Que vibran en el silencio
Monótonas y siniestras,
Cuando el genio de las sombras
De su letargo despierta,
E invisible en torno nuestro
Se agita y revolotea,
Entonces, entre el follaje
Tímidamente, encubierta,
Pálida flor, entreabres,
Tu corola marfileña,
Tu corola que del día
Al primer albor se cierra,
Para reabrirse al helado
Contacto de la tiniebla,
¡Hastiada siempre de lumbre!
¡Siempre de sombras sedienta!

¡Extraño destino el tuyo!
El día te encuentra muerta,
Tu triste vida concluye

* *La Alborada*, 28 de diciembre de 1902.

Cuando la nuestra comienza.
Mas cuando tu cáliz abres
Nuestras pupilas se cierran...
Y entonces tal vez tu vida
Más dulce y pálida sea,
Allá perdida en las sombras
Entre el follaje encubierta,
¡Lejos de envidias y odios!
¡Lejos de traiciones negras!

Sigue tu vida, abre siempre
Cuando la noche comienza,
Y al primer albor del día
Tu cáliz de nácar, cierra,
Para reabrirlo al helado
Contacto de la tiniebla,
¡Hastiada siempre de lumbre!
¡Siempre de sombras sedienta!

mujer
dice patriarcal

EN EL ÁLBUM DE LA SEÑORITA E.T.*

Tus grandes ojos de oriental pupila,
Vivos fulgores sin cesar irradian,
¡Son dos trozos de lumbre desprendidos
Del sol esplendoroso de la Arabia!

Son dos fúlgidos astros cuyo brillo
Apenas nubla tu pestaña negra,
Son dos astros... y tienen del abismo
La atracción, el misterio y las tinieblas.

Son dos diamantes negros engarzados
Bajo una frente de azahar y nardo,
¡Una frente divina que coronan
Sedosos bucles de reflejos áureos!

De tu perfil las armoniosas líneas,
Por su pureza sin igual asombran,
Sin duda un ángel las formó teniendo
Por modelo el semblante de una diosa.

Es tu pequeña y primorosa boca
Gracioso estuche de coral y perlas,
¡Una purpúrea flor en cuyo cáliz
Lloró la aurora sus celestes penas!

Pero a pesar del brillo esplendoroso
Que irradian tus pupilas musulmanas,
A pesar de tus nítidas facciones
Y de tu frente pálida,

---

* *La Alborada*, 18 de enero de 1903. Poema dedicado a Elisa Triaca, prima de Delmira Agustini.

Y a pesar de tus labios purpurinos
Y tus dientes de nácar
¡La ideal belleza de tu faz no excede
A la inefable y pura de tu alma!

¡ARTISTAS!*

Para M. E. Vaz Ferreira

Cuando el nimbo de la gloria resplandece en vuestras
[frentes,
Veis que en pos de vuestros pasos van dos sombras que
[inclementes
Sin desmayos ni fatigas os persiguen con afán;
Son la envidia y la calumnia, dos hermanas maldecidas,
Siempre juntas van y vienen por la fiebre consumidas,
Impotentes y orgullosas —son dos sierpes venenosas
Cuya mísera ponzoña sólo a ellas causa mal.

Alevosas y siniestras cuando tratan de atacaros;
Temerosas de la lumbre, siempre buscan el misterio.
Mas, burlaos de sus iras: ¡nada pueden! y el artista
Tiene un arma irresistible para ellas: ¡el desprecio!

---

* *La Alborada,* 22 de febrero de 1903.

CLAROBSCURO*

Cuando sonriente, la aurora
Sus áureos cabellos suelta
Y en el pálido horizonte
Su faz sonrosada muestra,
Y las albas avecillas
De sus manos marfileñas,
Van rasgando de la noche
El amplio manto de niebla,
Un níveo, frágil insecto
De sus ensueños despierta,
Y agitando dulcemente
Sus alas leves, etéreas,
Sediento en busca de flores
Su vuelo ondulante eleva.
Flores que recién se abran
Y en sus copas soñolientas,
Le brinden savia, perfumes
¡Y una llovizna de perlas!

Tenue, vaporoso insecto
Cuyas alas nacareñas,
Del lirio tienen la albura
Y la suave transparencia,
Tal vez de su vara al toque
El hada Delicadeza,
Formólo de una sonrisa
Un silfo, un sueño, una perla.
¡Y la luz diole por sangre
Una gota de su esencia!

---

* *La Alborada,* 31 de mayo de 1903. Hay traducción al francés de este poema, publicado en *La Petite Revue,* 8 de mayo de 1903.

Existe un lúgubre insecto
De alas pesadas y negras,
Que espera ansioso el momento
De silencio y de tinieblas
En que en brazos de la noche
Duerme enlutada la tierra,
Y entonces alza su vuelo
De lentitudes funéreas,
¡Vuelo pesante, fatídico,
De vibraciones siniestras!

¡Tétrico, ominoso insecto!
¡Animalaña funesta!
Al vivo fulgor del día
Permanece inmóvil, yerta,
La helada sombra nocturna
Da vida a sus alas muertas.
Es que tal vez de la noche
Le brinda la copa inmensa,
De la esencia del misterio
El vivificante néctar,
Esencia que por lo oscura
Parece su propia esencia!

¡Raro, sublime contraste!
¡Atrayente diferencia!
Aquél, una estrella alada,
Éste, un jirón de tiniebla;
Aquél, graciosa alegría,
Éste, fúnebre tristeza;
Aquél tiene la celeste,
La luminosa belleza,
Del astro claro, radiante,
De una sonrisa arcangélica,
Éste tiene la sombría
Severa magnificencia,
La atracción trágica, extraña,
Irresistible, funesta,
Del abismo devorante!
De la sima negra, tétrica!

74

FANTASMAS*

Célicas legiones de hadas vaporosas
En vaivén gracioso van y van pasando;
Son las ilusiones tenues, sonrosadas,
Son los sueños níveos, impalpables, diáfanos.
Llegan a mi oído y al pasar se inclinan.
Himnos de esperanza quedo susurrando;
 Son las ilusiones,
  Los ensueños blancos,
Que entre frescas rosas y espumosos lirios
 En bajel dorado,
 Suaves nos deslizan
A través del mundo, ¡piélago encrespado!
 Arrojando flores
Sobre los escollos que encuentran al paso!

 Son las ilusiones
 Los ensueños blancos,
 Son los compañeros,
Los amigos dulces de los pocos años.

 Son las ilusiones
 Los ensueños blancos.

Los celestes bandos de hadas vaporosas
En vaivén gracioso van y van pasando,
 Himnos de esperanza
 Quedo susurrando,
 Son las ilusiones,
 Los ensueños blancos.

---

* *La Alborada*, 21 de junio de 1903.

Pero, ¡cosa extraña! Mis risueñas hadas
Las pupilas ígneas abren con espanto.
    Aterrados huyen
    Los alegres bandos...
Siento frío... tiemblo... Junto a mí se yergue
    Un fantasma raro,
De pupilas negras, insondables, duras,
De ambarino cutis y terrosos labios.
    Cúbrelo un espeso,
    Renegrido manto.
Todo en él es frío, ¡hasta de sus ojos
    El fulgor extraño
Fuego incomprensible, que cegando hiela;
Fuego inexplicable, que deslumbra enfriando;
Viene a mí, se inclina; sus pupilas negras
    Sobre mí ha fijado,
    Mi aterido cuerpo
Tiembla y se contrae en terrible espasmo.
El fantasma oprime mi marmórea frente
    Con su dedo helado;
Y fijando ahora su mirada dura
En mis níveos sueños que ya están lejanos,
    Con desprecio y odio
Agitado mueve los terrosos labios.
    Luego a mí se vuelve
Y hacia sí me trae en estrecho abrazo;
A mi oído acerca su nerviosa boca,
Con acento intenso, convincente, trágico,
—¡¡Mienten!! —dice— ¡¡Mienten!! —Luego me
                                 [abandona
    Y se va, dejando
    En mi frente, impresa,
La invisible huella de su dedo helado!
¡Pobres ilusiones!
¡Pobres sueños blancos!

Ha pasado el tiempo
Sobre mí; los años
Con profundas huellas

Marcaron su paso,
Y jamás han vuelto
Ni las ilusiones, ni los sueños blancos.
    ¡Pobres ilusiones!
    ¡Pobres sueños blancos!
Es que aquel fantasma demacrado y frío
    Era el <u>Desengaño</u>;
Y al tocar mi frente dejó en ella impresa
la indeleble huella de su dedo helado!

    ¡Pobres ilusiones!
    ¡Pobres sueños blancos!

LA DUDA*

Vino: dos alas sombrías
Vibraron sobre mi frente,
Sentí una mano inclemente
Oprimir las sienes mías.

Sentí dos abejas frías
Clavarse en mi boca ardiente;
Sentí el mirar persistente
De dos órbitas vacías.

Llegó esa mirada ansiosa
A mi corazón deshecho,
Huyó de mí presurosa
Para no volver, la calma,
Y allá en el fondo del pecho
Sentí morirse mi alma!

_____

* _La Alborada_, 6 de septiembre de 1903.

MONÓSTROFE*

Hay un tétrico <u>fantasma</u> que en el cáliz de mi vida
Va vertiendo amargas gotas de una esencia maldecida
Que me enerva y envenena, que consume mi razón;
Y si un grito suplicante, si una tímida protesta
Brotan hondos, desgarrantes de mi alma dolorida,
El maléfico fantasma impasible me contesta
Con sarcástica sonrisa que me hiela el corazón.

* *La Alborada*, 27 de septiembre de 1903.

VIENE...*

Blandos preludios,
Nievan orquídeas opalinas, pálidas;
Lánguidos lirios soñolientos riman
    Estrofas perfumadas.
Hay roces blancos, leves,
Hay notas leves, blancas

Viene... es ella, es mi musa,
La suave niña de los ojos de ámbar;
Es mi musa enfermiza: la ojerosa,
La más honda y precoz, la musa extraña!

Es pálida, muy pálida, en sus ojos
Bate el Enigma sus pesadas alas;
En las cadencias de su blanda marcha
    Los misterios desmayan...
Es la musa enfermiza, la ojerosa,
La más honda y precoz, la musa extraña!

Viene... no trae lira
La suave niña de los ojos de ámbar...
    Ella canta sin lira,
    Mi dulce musa extraña!

    Sus pálidos arpegios,
Sus vibraciones de pasión, arranca,
    Con angustias que crispan,
¡A las fibras sensibles de su alma!

¡Ven, canta, canta!
    ¡Oh, mi musa enfermiza!
¡Oh, mi musa precoz, mi musa extraña!

---

* *La Alborada*, 13 de diciembre de 1903.

CAPRICHO*

Al Excelso escritor uruguayo Manuel Medina Betancort

Entre el raso y los encajes de la alcoba parisina
La enfermiza japonesa, la nostálgica ambarina,
Se revuelve en las espumas de su lecho de marfil;
El incendio de la fiebre ha pintado en sus mejillas
—Sus mejillas japonesas como rosas amarillas—
Sangraciones de claveles, centelleos de rubí.

Vibra en llamas del delirio la muñeca principesca,
Se estremecen los marfiles de su faz miniaturesca,
Su pupila enloquecida lanza chorros de fulgor;
Burbujeantes las palabras efervescen locamente
Con hervores de champaña de su boca balbuciente,
De su boca de topacio, moribunda, sin frescor.

Sueña ahora de su infancia: blancas, leves las visiones
Van pasando juguetonas en alígeras legiones,
Con sus vestes de albas gasas, con sus nimbos de cla-
                                                    [ror;
Nievan lirios, perlas, rosas, rosas blancas como espumas,
Avecillas eucarísticas, suaves copas de albas plumas,
Son las aves del recuerdo, van diciendo su canción.

Cruza ahora misteriosa, inefable, aristocrática
Una pálida figura de expresión honda, enigmática,
Perezosos movimientos, fatigoso, lento andar;
En sus ojos tristes, suaves, hay miradas que sollozan,
Hay reproches hondos, dulces, que acarician, que destro-
                                                    [zan,
Con la blanda inconsistencia del enojo maternal.

---

* *La Alborada,* 29 de noviembre de 1903.

. . . .
. . . .

Extinguióse ya la fiebre, la enfermita no delira,
Centellea en sus pupilas el sol rojo de la ira
Y sus brazos se retuercen como sierpes de marfil:
Brota un nombre de sus labios entre espuma y maldicio-
[nes,
Su nacáreo cuerpecito se revuelva en convulsiones,
Tremular de lirio enfermo, sacudidas de jazmín.

Es que vibra en su cerebro con malditas resonancias
El recuerdo de lord rubio de imperiales arrogancias,
El altivo millonario de los ojos de zafir,
El que en redes misteriosas de promesas quebradizas,
Apresó el pájaro blanco de su almita asustadiza
Arrancándola a sus padres, sus ensueños, su país.
. . . .

Y en la cárcel principesca de la alcoba parisina
La olvidada japonesa, la nostálgica ambarina
Desfallece sofocada por agónico estertor,
¡Oh, mimosa susceptible, por un soplo deslucida!
Devolviérale la gracia, devolviérale la vida
Una gota de cariño, un efluvio de su sol!

En sus ojos, hondos cauces, hay un algo extraño, he-
[lado,
Reflectores de la muerte, ésta en ellos se ha mirado
Y es su imagen la que flota en su fondo de carey,
Pero... súbito se animan, arde en ellos la alegría,
Alegría de muriente con vislumbres de sombría,
La enfermita vibra toda su figura de *poupée;*

Sus deditos finos, pálidos, como niños macilentos,
han tomado, y ahora oprimen con nerviosos movimien-
[tos
Un marchito crisantemo; blanco hermano del Japón!
Él también sufre nostalgias, hondas, diáfanas, impías

Abejillas de oro y ópalo que se clavan[1] lentas, frías,
En el glóbulo de aromas de su raro corazón.

La enfermita las comprende, las nostalgias amarillas
Del pequeño moribundo, y le acerca a sus mejillas
Y a sus labios en arranques de cariño fraternal,
Es su hermano, sí, es su hermano ese copo de albo
[lino,
Como ella agonizante, como ella nacarino,
Como ella desmayando en lujosa soledad.

. . . .
. . . .

Duerme, duerme la enfermita entre cirios de oro escuá-
[lidos
Hay un muerto crisantemo en sus dedos finos, páli-
[dos,
Su cajita funeraria es estuche de blancor.

. . . .

En lo alto: al regio alcázar del Eterno, del Clemente,
Entre angélicos festejos, leve, diáfana, sonriente,
Llega el alma de una niña, trae el alma de una flor!

---

[1] El texto de *La Alborada* dice «elevan», que aparece corregido por
«clavan» con letra de Santiago Agustini en el número de esta revista que
pertenece a Delmira Agustini.

Cubierta original de *El libro blanco*.

El libro blanco
(Frágil)

PRÓLOGO DE
Manuel Medina Betancort

ILUSTRACIÓN DE
Alphenore Goby

MONTEVIDEO
1907

ADVERTENCIA

Los poemas de *El libro blanco (Frágil)* constituyen la primera colección de poemas que publica Delmira Agustini. Algunos textos ya habían sido publicados en revistas literarias, en particular en *La Alborada* y *Apolo*. La entusiasta recepción que obtuvo este primer volumen determinó el éxito literario de la poeta con sus obras posteriores. Al poco tiempo de haberse publicado este primer poemario, Agustini recibió, según registra su correspondencia personal, numerosas cartas elogiosas de su obra de poetas y críticos de varios países sudamericanos y de España.

Nuestra edición reproduce fielmente la primera edición de 1907. A estos poemas agrego algunas variantes textuales que iluminan la evolución del proceso creativo, según se refleja en los Cuadernos II y III de la poeta. Para más detalles sobre los manuscritos, se recomienda consultar el trabajo imprescindible de Ofelia Machado de Benvenuto ya mencionado, *Delmira Agustini,* y, naturalmente, el Archivo Delmira Agustini de la Biblioteca Nacional de Montevideo, Uruguay.

PRÓLOGO

Una mañana de septiembre, hace cuatro años, golpeó a la puerta de mi cuarto de trabajo en la revista *La Alborada*, una niña de quince años, rubia y azul, ligera, casi sobrehumana, suave y quebradiza como un ángel encarnado y como un ángel, lleno de encanto y de inocencia. Su aparición inesperada en el revuelto y severo ambiente de mis labores literarias, en aquella mañana de primavera que hacía florecer dentro de mi alma joven por reflejo y quizá por afinidad con mis años, los mismos pomposos y perfumados jardines que florecían lejos, en los cármenes y en los huertos suburbanos, me llevó a una precipitada y deslumbrante explosión de imágenes, a ver delante de mis ojos sorprendidos, algo que fuera como un milagro, o como un prodigio, o como un sortilegio, algo extraño y divino, a la vez que fuera una figura hecha con carne y sangre de rosas, con rayos de sol en cabellera, y con gotas de cielo celeste que tuvieran pupilas. Traía en la mano un manuscrito, como un envío. Llegó hasta mi mesa, y con ingenuo ademán, sin timidez ni arrogancia, me lo extendió y me dijo:

—Son versos. Los primeros. Quisiera que usted me los publicara.

Las palabras sonaron en los oídos suavemente, menudas, cristalinas, como si apenas las tocara para decirlas, como si en su garganta de virgencita hubieran gorjeos en vez de vocablos, ecos de vibraciones en vez de músicas de sonidos.

Y como había penetrado en el encanto inesperado de

89

un milagro al verla llegar hacia mí, mis ojos penetraron también en una revista de letras en líneas temblorosas e incompletas, como si estuvieran viendo el silencioso desfile de un ensueño azul fijado o prendido apenas en líneas de versos que decían cosas encantadoramente infantiles, sutilmente ideadas, leves, de levedad de gasa y de transparencia quebradiza como el cristal. Y retrocedí hasta mis cercanos años de adolescente para estar junto a ellos o dentro del espíritu alígero de ellos, y soñar, soñar mucho como un niño sueña, con ese inverosímil y hermoso sentir e imaginar de los que no tienen más que pupilas para deslumbrarlas de sol, y cerebro para encender el prodigio.

Era una candorosa niña, Delmira Agustini, adorable como una virgencita de carne, que había transformado por una milagrosa metamorfosis de la materia milagrosa, los ingenios, los gemantes, los inverosímiles cuentos azules de los magos de Pascua y de las hadas de las *Mil y una Noches,* en visiones si tan magníficas y suntuosas, de más sentido humano y de más humano soñar. Sus manos, de azucenas de cinco pétalos, tocaban por igual la tierra como el cielo, para buscar los gloriosos atributos con qué recamar sus versos esplendentes. El azul y el dios cristiano con su corte de soles y de estrellas y sus jardines de nubes; el suelo con sus olas, sus alas, sus flores, sus oros, sus mariposas y sus piedras preciosas. Era una pequeña maga que hacía su reino y su encantamiento con los tesoros inacabables de todas las magias.

Y pasan los días de sus años jóvenes y llegan sus versos como una procesión cosmopolita que anda. Es que pasan los días y los años por el alma blanca y por el cerebro pleno de ilusiones celestes. Es que pasan las cosas con su inexorable verdad y su palabra despiadadamente cristalina. Y cada voz, y cada experiencia, y cada interpretación, que se prende en el alma como una luciérnaga fatídica, va dejando una herida que sangra y un dolor que se queja, porque detrás de ellos se ha apagado un ensueño y se ha derrumbado un castillo. El pasado va yéndose poco a poco con su caravana magnífica de preseas incoherentes.

El niño se va con los reyes pródigos de la infancia azul que no retornan jamás, en busca de otros niños que esperan su gloria y su paraíso sobrenaturales. Por eso la musa eucarística e ingenua se recoge sobre sí misma como una paloma herida, y solloza su tristeza tempranera, y cuenta las gotas de su sangre nueva, y se lamenta y clama, y hasta a veces —¡Oh viril grandeza del dolor!— parece que levanta los puños modelados con carne de rosas, y amenaza al trágico rostro del Destino, padrastro inclemente de la Vida! Sí, la joven poetisa comienza a sufrir y por eso también comienza a perfilarse fortificándose, corporizándose, destacando su silueta de musadora humana. Y a medida que penetra en la selva intrincada de la verdad abrupta y hereje, con más ansia busca la fuerza desconocida que le haga sacudir del alma todos los crueles dolores que van llenándole de cadáveres que pesan como un cementerio que llevara a la espalda. Y por eso quiere aturdirse, enloquecer un instante para olvidar un instante. Y se viste de sedas rutilantes de piedras preciosas y perlas y lentejuelas, y embriagándose en la musa loca del champagne y del perfume, ríe con la risa carnavalesca de un cascabel. Y así su pobre alma, como el badajo suelto, batida por el acicate implacable del tormento rebota cantando dentro de su pobre cuerpecito, la canción frenética del dolor que busca la armonía del olvido.

Después la musa maga cae en la neurasténica melancolía de la nostalgia, y entona dulce y tristemente su salmo de miserere por la memoria de todas las cosas muertas. Llora como una niña sin juguetes, como un pájaro a la agonía de la tarde. Envuelta en la marea de la fatal evolución que rueda y precipita hacia el abismo inevitable lo grande y lo pequeño, la larva y el astro, lo humano y lo divino, no encuentra el rayo de sol a qué asirse, y se deja llevar y se lamenta, arrastrando como muertos queridos, sus rosas marchitas y sus estrellas apagadas.

Más tarde, en el último periodo de su desastre de ensueños, húmedos aun sus celestes ojos de lágrimas dolientes, vuelve la musa su cabecita loca hacia los olimpos paganos, a pedirle a los dioses inmortales la caricia serena y los dones maravillosos que purifican las almas destrozadas por la corona de espinas del impotente dios cristiano. Y penetra, y se pierde en los hondos silencios y en las religiosas penumbras de los templos, y admira y adora con deleitoso terror a la muchedumbre callada de los eternos dioses que tienen corporizado en sus formas de piedra, el sino inmutable del bien y del mal, de lo monstruoso y de lo bello, el jeroglífico enigmático de la vida y la muerte.

De pronto, ¡la luz, el sol, el hosanna, el himno! Surge Amor, rubio como un Apolo, tierno y bello como un efebo, milagroso como una hada madrina, dorado y dulce como un panal de miel. Bálsamo bendito, bálsamo de bien que das a la virgencita moribunda el agua maravillosa que trae en su linfa las cien emociones del olvido y las cien fuerzas desconocidas e invencibles que llevan de la mano a la Vida hasta el último sendero. Amanece —¡oh dolorosa!— sobre las nueve almas sollozantes de tus nueve musas tendidas como nueve cuerdas tensas en el arco de tu cuerpo, el son polífono inefable del mago infante, que lleva a tus dedos la vibración inspiradora de los éxtasis, y a tus labios nuevos la inflamada floración de los besos.

Y la rediviva del amor, canta al Mesías el evangelio de su nueva fe. Dice:

> Muero de ensueños. Beberé en tus fuentes
> Puras y frescas la verdad. Yo sé
> Que está en el fondo magno de tu pecho
> El manantial que vencerá mi sed.
> . . . .
> Mi alma desnuda temblará en tus manos
> Sobre tus hombros pesará mi cruz.
> . . . .
> Yo vacilaba; me sostengo en ti.
> . . . .
> Y hoy río si tú ríes, y canto si tú cantas;
> Y si tú duermes duermo como un perro a tus plan-
> [tas!
> . . . .
> Yo te abro el alma como un cielo azul!

. . . .
Mi vida toda canta, besa y ríe!
Mi vida toda es una boca en flor!

Es el arrebol del nuevo día; es el amanecer florido de la Primavera madre, madre de la armonía y de la caricia; es el salmo vibrante de impulsos de capullo en beso de sol. Es la nueva fuente inagotable que rompe la piedra y desborda cantando. En fin, es el Amor.

Por él y con él andará los desconocidos caminos de mañana. Por él y con él penetrará hermosa y serenamente en la vida, y será grande y triunfadora, porque tiene el alma sensitiva de las intensas embriagueces y de los intensos lloros. Tal la evolución ideológica y sentimental de esta canora y transparente ungida por el óleo inmortal de las nueve hermanas, que glorificaron a Safo con la lira inventada por Mercurio. Tal el desfile incoherente y contradictorio como la vida misma, de su blanca bandada de ensueños a través de la adolescencia.

Dejo al libre examen de los exigentes, la técnica poética de esta eucarística e ingenua virgencita que los dioses propicios me han elegido para llevar de la mano hasta vos, veleidoso y tirano público, que tenéis a veces corazón, a veces conciencia, y a veces dientes de lobo.

Yo sé que la suave paloma de su musa vuela libremente sin horizontes preferidos, rebelde por inexperiencia a los vientos que marcan caminos. Pero ya vendrán los años sabios y le enseñarán a serenarse en el ritmo de los vuelos que llevan a las alturas dominantes y veneradas. A veinte años llenos de candor florecidos en un cuerpo y en un alma de mujer, no se le puede pedir la sabiduría de los impecables. Está encandilada de sol e irá hacia el sol. Es un rayo luz e irá hacia la luz eterna. Tiene alas y tiene sangre de vencedora. Está signada por las musas. Sus nueve madres la protegen.

MANUEL MEDINA BETANCORT

EL POETA LEVA EL ANCLA*

El ancla de oro canta[1]... la vela azul asciende
Como el ala de un sueño abierta al nuevo día.
                    Partamos, musa mía!
Ante la prora alegre un bello mar se extiende.

En el oriente claro como un cristal, esplende
El fanal sonrosado de Aurora. Fantasía
Estrena un raro traje lleno de pedrería
para vagar brillante por las olas.
                              Ya tiende
La vela azul a Eolo su oriflama de rasò...
¡El momento supremo!... Yo me estremezco; ¿acaso
Sueño lo que me aguarda en los mundos no vistos[2]...

¿Acaso[3] un fresco ramo de laureles fragantes,
El toison reluciente, el cetro de diamantes,
El naufragio o la eterna corona de los Cristos?...

---

* Este primer poemario es el que ofrece las mayores variantes en textos que se publicaron en 1907 y las versiones que se publicaron en 1913. Las siguientes son correcciones hechas por Delmira Agustini sobre la primera edición de *El libro blanco* (*Frágil*) de 1907 que reflejan dichas variantes.

En la primera edición, el título del poema es «Levando el ancla».

[1] «El ancla de oro suena...»

[2] «Sé —oh Dios!— lo que me aguarda en los mundos no vistos?»

[3] «Tal vez un fresco ramo de laureles fragantes».

POR CAMPOS DE ENSUEÑO*

Pasó humeante el tropel de los potros salvajes!
Feroces los hocicos, hirsutos los pelajes,
Las crines extendidas, bravías, tal bordones,
Pasaron como pasan los fieros[1] aquilones!

Y luego fueron águilas de sombríos plumajes
Trayendo de sus cumbres magníficas visiones
Con el sereno vuelo de las inspiraciones
Augustas, con soberbias de olímpicos linajes,

Cruzaron hacia Oriente la limpidez del cielo;
Tras ellas como cándida hostia que alzara el vuelo,
Una paloma blanca como la nieve asoma,
Yo olvido el ave egregia y el bruto que foguea
Pensando que en los cielos solemnes de la Idea
A veces es muy bella, muy bella una paloma!

---

* Las siguientes son correcciones hechas por Delmira Agustini sobre la primera edición de *El libro blanco (Frágil)* de 1907.
[1] «Pasaron como pasan los *pamperos* aquilones».

NOCHE DE REYES*

. . . .
. . . .

«Tenía en las pupilas un brillo nunca visto,
Era rubio, muy dulce y se llamaba Cristo!...»

—¡Ah, sigue! —el mago erguía la frente soberana—
—«Mi copa es del Oriente, es sagrado este vino—
»Allá en Betlheem, un día legendario y divino
»Yo vi nacer al niño de estirpe sobrehumana

»La Miseria lamía su mano[1]... porcelana
»Celeste con el sello de un trágico destino,
»Y Él sonreía siempre a la Miseria, al sino,
»Al cordero de nieve, a la cruz del Mañana...»

Era mi Dios![2]... ¡Ah Cristo, mi piedad os reclama.
Mi labio aún está dulce de la oración que os llama!
Peregrinando cultos, mi rubio, infausto Dios,
No estragué de mi fe los armiños prístinos,
¡Ah! por todos los templos, por todos los caminos,
Divagando sonámbula, yo marchaba hacia Vos...

---

* Las siguientes son correcciones hechas por Delmira Agustini sobre la primera edición de *El libro blanco (Frágil)* de 1907.

[1] «La Miseria lamía su cuerpo» en el manuscrito original.

[2] «Era mi Dios!... Ah Cristo mi vieja fe os reclama
Si mi labio está aún dulce de la oración que os llama!
Atravesando cultos, mi rubio, infausto Dios,
No estragué de mi fe los armiños pristinos
Ah! por todos los templos, por todos los caminos,
Yo iba como en sueños, vagamente hacia vos».

LA SED*

Tengo sed, sed ardiente! —dije a la maga, y ella
Me ofreció de sus néctares. —Eso no, me empalaga![1]
Luego, una rara fruta, con sus dedos de maga,
Exprimió en una copa clara como una estrella;

Y un brillo de rubíes hubo en la copa bella.
Yo probé. —Es dulce, dulce. Hay días que me halaga
Tanta miel, pero hoy me repugna, me estraga!—
Vi pasar por los ojos del hada una centella.

Y por un verde valle perfumado y brillante,
Llevóme hasta una clara corriente de diamante.
—Bebe! —dijo. Yo ardía, mi pecho era una fragua.
Bebí, bebí, bebí la linfa cristalina...
¡Oh frescura! ¡oh pureza! ¡oh sensación divina!
—Gracias, maga, y bendita la limpidez del agua!

---

* Las siguientes son correcciones hechas por Delmira Agustini sobre la primera edición de *El libro blanco* (*Frágil*) de 1907.
[1] «O, no, no, eso empalaga!»

REBELIÓN*

La rima es el tirano empurpurado,
Es el estigma del esclavo, el grillo
Que acongoja la marcha de la Idea.
No aleguéis que es[1] de oro! El Pensamiento
No se esclaviza a un vil cascabeleo!
Ha de ser libre de escalar las cumbres
Entero como un dios, la crin revuelta,
La frente al sol, al viento. ¿Acaso importa
Que adorne el ala lo que oprime el vuelo?

Él es por sí, por su divina esencia,
Música, luz, color, fuerza, belleza!
¿A qué el carmín, los perfumados pomos?...
¿Por qué ceñir sus manos enguantadas
A herir teclados y brindar bombones
Si libres pueden cosechar estrellas,
Desviar montañas, empuñar los rayos?
¡Si la cruz de sus brazos redentores
Abarca el mundo y acaricia el cielo!
Y la Belleza sufre y se subleva...
¡Si es herir a la diosa en pleno pecho
Mermar el torso divinal de Apolo
Para ajustarlo a ínfima librea!

Para morir como su ley impone
El mar no quiere diques, quiere playas!
Así la Idea cuando surca el verso
Quiere al final de la ardua galería,
Más que una puerta de cristal o de oro,
La pampa abierta que le grita «¡Libre!»

---

* Las siguientes son correcciones hechas por Delmira Agustini sobre la primera edición de *El libro blanco (Frágil)* de 1907.
[1] «No aleguéis que sea de oro».

EL ARTE

Rara simiente de color de fuego
Germinó en una hora bendecida
A la sombra del árbol de la vida...
Nació trémulo y triste como un ruego.

Como oriflama victorioso luego
Yergue triunfal la pompa florecida,
Y se puebla de alondra. —Un día anida
Entre sus frondas, misterioso y ciego[1],

Un pájaro que canta[2] como un dios
Y arrastra la miseria en su plumaje—.
Con las alondras viene a su follaje
De alimañas sin fin la acometida,
Y él vence y sigue de la Estrella en pos...
Hoy es sombra del árbol de la Vida!

---

[1] En el manuscrito dice «misterioso, un ciego».
[2] En el manuscrito dice «que cantando».

LA ESTATUA*

Miradla, así, sobre el follaje oscuro
Recortar la silueta soberana...
¿No parece el retoño prematuro
De una gran raza que será[1] mañana?

Así una raza inconmovible, sana,
Tallada a golpes sobre mármol duro,
De las vastas compañas del futuro
Desalojara a la familia humana!

Miradla así —de hinojos!— en augusta
Calma imponer la desnudez que asusta!...
Dios!... Moved ese cuerpo, dadle un alma!
Ved la grandeza que en su forma duerme...
¡Vedlo allá arriba, miserable, inerme,
Más pobre que un gusano, siempre en calma!

---

* Las siguientes son correcciones hechas por Delmira Agustini sobre la primera edición de *El libro blanco (Frágil)* de 1907.
[1] «De una gran raza que abrirá mañana?».

EL AUSTERO*

Murió el Ensueño. Hoy pálido de duda
Bebo en mi copa sangre de la sima...
Hoy mi escalpelo sin piedad lastima
La vena azul de la Verdad desnuda!

Frente a la Esfinge pavorosa y muda
Venció mi ardor la muerte que la *anima*,
Quiero en los vinos el sabor que lima,
Los torsos griegos en su línea cruda.

Sé que está el mármol frío de delirios
Y que es de hielo el fuego de los cirios...
Sé que es maldito el resplandor del oro
—Vi el oro en sierpes de ojos de centella—
Y del cristal la claridad que adoro.
Vi en un diamante muerta a Margarita...
Diome una gota de sudor ¡bendita!
La visión de la Cruz y de la Estrella!

_____

* Este poema se tituló en un comienzo «Enigmas rotos» y «Murió el
ensueño».

ASTRÓLOGOS*

Venid, venid hermanos! Allá en la azul esfera
Que eternamente explora nuestra ansia de conquista,
Cual de una flor de fuego el gran botón que abriera,
Surge una nueva estrella de lumbre nunca vista!

Vedla! —Oh Dios, Dios cuán bella!— Y, ved allá, ya lista,
La tempestad que avanza; jamás en mi carrera
Yo vi que al nacimiento de un astro no asistiera
La nube tumultuosa que alarma y que contrista.

Y mirad tal se arrastra... ¿No se dijera hermanos
Que en la flora del cielo las nubes son gusanos?—
—Callad, callad, las nubes tienen un noble vuelo—
—Las nubes son la Envidia, si Envidia hay en el cie-
                                        [lo!—
—¡Ah! ved cómo resaltan en la extraña querella
Lo negro de la nube, lo blanco de la estrella!

---

* Fue publicado por primera vez en *La Semana,* Montevideo, 18 de julio de 1912, Año IV, número 151.

JIRÓN DE PÚRPURA

Deja llegar mis labios a tus panales de oro
Ah yo sé bien precio de esa inefable miel!
Noble abeja de ensueños, del divino tesoro
Yo tomaré una gota como un fino joyel.

Yo doy miel por miel; guarda el aguijón sonoro
A la carne burguesa que profana el vergel,
A los que regatean tu vida en la miel de oro
Calculando a la sombra sagrada del laurel.

¡Ah! esos labios gastados de cifras no aman mieles!
Ritmo, línea, color pagan como oropeles
Y ese dinero encrespa al cóndor del blasón
Que cela los bravíos linajes aguileños.
—¡Ah! si quieres ser fuerte, noble abeja de ensueños,
En mis odios aguza tu sonoro aguijón!

RACHA DE CUMBRES*

El soberbio regazo de curvatura extraña
En ademán solemne nos brinda la montaña.

Subamos. De la cumbre, del reino de las alas
Expulsemos los cóndores, expulsemos las águilas.

Allá la novia Nieve abre su blanco velo
Que tiembla y que desmaya a los besos del cielo.

Y el mar al pie, agolpándose en la piedra y la are-
[na;
Rompe, azota, revuelca su intrincada melena.

Allá surge la idea de un formidable mito...
Abajo lo insondable, arriba lo infinito.

---

* Las siguientes son correcciones hechas por Delmira Agustini sobre la primera edición de *El libro blanco (Frágil)* de 1907. Este poema tiene muchas correcciones. Por esta razón creemos necesario transcribir el
texto completo de la segunda versión:

Vamos! su amplio regazo de curvatura extraña,
En ademán solemne nos brinda la montaña.

Subamos a la cumbre, al reino de las alas
—Oh el regio hermano cóndor, la regia hermana águila

Allá la novia Nieve abre su blanco velo
Que tiembla y que desmaya a los besos del cielo.

Y el mar al pie, agolpándose en la piedra y la arena;
Rompe, azota, revuelca su intrincada melena

Allá surge la idea descomunal de un mito:
Abajo lo insondable, arriba lo infinito.

Súbito al peregrino rumor de nuesta planta
Con ímpetu salvaje un ave se levanta.

Son grandes, son soberbias las aves de las cumbres,
Sus ojos tienen fríos, olímpicos vislumbres.

Abismos palpitantes, enigmas de plumaje,
Su vuelo es un nervioso martilleo salvaje.

Sus pupilas brillantes, sus pupilas oscuras,
Dan un vértigo raro: un vértigo de alturas...

Subamos! Al extraño chirriar de nuestra planta
Con ímpetu salvaje un ave se levanta.

Son grandes, son soberbias las aves de las cumbres,
Hay en sus ojos fríos olímpicos vislumbres.

Abismos palpitantes, enigmas de plumaje,
Su vuelo es un nervioso martilleo salvaje

Y como evocan raras, inéditas leyendas
Miran indiferentes las pupilas horrendas

El mirar de las cumbres que no sienta a su vuelo
Más ley que su capricho, más límite que el cielo.

Y el pico corvo, enérgico: dominio y arrogancia!
El pico soberano del águila de Francia!

Arriba!... Huyen las águilas... Magnífica conquista!
—Conmueve la montaña el paso del artista!

Baja un cóndor... se eleva silente, sorprendido,
No lucha... huye del hombre...: o ha visto, ha comprendido!

La cumbre!... Llega el artista! A tu figura extraña
Un plinto inderrocable levante la montaña!

Reina aquí! Cumbres [cimas], olas te rindan vasallaje,
Comprendan que es tu alma más grande que el paisaje,

Y cuando allá en la cumbre, como un sol que flamea,
Pabellón de la Vida se levante la Idea,
Suspensa la Natura tribute su homenaje!

¡Miradas encendidas en las cumbres!... su vuelo
Tiene una ley y un límite: el capricho y el cielo.

Y el pico corvo, enérgico: dominio y arrogancia!
El pico soberano del águila de Francia!

Y huyen como si hubieran mirado el Pensamiento...
—La montaña parece crecer para el momento—.

¿Presentirán sus alas tu misterioso alaje?...
El asombro ha debido dilatar el paisaje.

Y cuando allá en la cumbre, como un sol que fla-
                                              [mea,
Pabellón de la vida se levanta la Idea,
Parecerá Natura un divino homenaje!

AL VUELO*

La forma es un pretexto, el alma todo!
La esencia es alma. —¿Comprendéis mi norma?
Forma es materia, la materia lodo,
La esencia vida. ¡Desdeñad la forma!

Entre las flores preferid la agreste.
Más que al celaje que en la tarde rubia
Es arabesco del dosel celeste
Amad la nube que revienta en lluvia!

Amad la nube que revienta en lluvia![1]
Como abanico de cristal su arpegio,
Más que al faisán —el ave sol— pomposo
y empurpurado, del penacho regio!

—Frente a la Venus clásica de Milo
Sueño una estatua de mujer muy fea
Oponiendo al desnudo de la dea
Luz de virtudes y montañas de hilo!—

Nunca os atraiga el brillo del diamante
Más que la luz sangrienta de la llama:
Ésta es vida, calor, pasión vibrante,

Aquélla helado resplandor de escama!
Nada os importe el vaso, su alma sea
Licor insigne, transparente, sano:
Como una palma señorial la Idea
Nace en el centro mismo del pantano!

_____

* Las siguientes son correcciones hechas por Delmira Agustini sobre la primera edición de *El libro blanco (Frágil)* de 1907.
[1] «Amad la alondra abriendo melodioso».

108

Yo he visto en sueños, lívidos afanes,
Entre una bulla espiritual, burlesca,
Pasar mudos, confusos los Cristianes
Ante Ciranos de nariz grotesca!

Y no os hechice la pomposa palma
Oferta a huecos triunfos de apariencia
Eternamente componed el alma
Ante el espejo leal de la conciencia!

Y si en la vida estáis, sed de la vida!
Que, tras el brillo de un ensueño insano,
Pudiera un día vuestra fe perdida,
Mirando al cielo entrar en el pantano!

Desdeñad la apariencia, la falsía,
La gala triste del defecto erguido:
Menos tendréis que descubrir un día
Desnuda el alma horrorizada, fría
Ante el Supremo Tribunal temido!

EL HADA COLOR DE ROSA

El hada color de rosa que mira como un diamante,
El hada color de rosa que charla como un bulbul,
A mi palacio una aurora llegó en su carro brillante,
Esparciendo por mis salas un perfume de Stambul.

—Toma —y una esbelta lira de oro me dio— en ella
[cante
La musa de tus ensueños sus parques, el cisne azul
Que tiende en los lagos de oro su cuello siempre al Le-
[vante,
Y Helena que pasa envuelta en la neblina de un tul.

Busca la rima y el ritmo de un humo, de una fragan-
[cia,
Y en perlas de luz desgrana las risas de Extravagancia
Que muestra los dientes blancos a Zoilo de adusto
ceño.
Canta en la aurora rosada, canta en la tarde de plata
Y cuando el sol, como un rey, muera en su manto escar-
[lata,
Mientras que la noche llega, ensaya un ritmo y un
[sueño!

LA MUSA*

Yo la quiero cambiante, misteriosa y compleja;
Con dos ojos de abismo que se vuelvan fanales[1],
En su boca, una fruta perfumada y bermeja
Que destile más miel que los rubios panales;

A veces nos asalta un aguijón de abeja;
Una raptos feroces a gestos imperiales
Y sorprenda en su risa el dolor de una queja,
En sus manos asombren caricias y puñales!

Y que vibre, y desmaye, y llore, y ruja, y cante,
Y sea águila, tigre, paloma en un instante,
Que el Universo quepa en sus ansias divinas;
Tenga una voz que hiele, que suspenda, que inflame,
Y una frente que erguida su corona reclame
De rosas[2], de diamantes, de estrellas o de espinas!

---

* Las siguientes son correcciones hechas por Delmira Agustini sobre la primera edición de *El libro blanco (Frágil)* de 1907.
   Título original: «Buscando Musa».
   [1] «Sean sus ojos abismo que se vuelven fanales».
   [2] «Ya sea de diamantes, de estrellas o de espinas!».

LA SIEMBRA*

Un campo muy vasto de ensueño y milagro.
Las tierras labradas soñando simiente
Y súbito un hombre de olímpica frente
Que emperla los surcos de ardientes rubíes
—¿Qué siembras? —le digo— ¿delira tu mente?
—Mi sangre que es lumbre... ¡mi sangre! —contesta—
Verás algún día la mágica fiesta
De luz de mis campos; si quieres, hoy, ríe!

—¿Reír? eso[1] nunca ¡respeto lo ignoto!
Me apiada la angustia grabada en tu cara[2]
La angustia que implica tu siembra, tan rara!
—Verás algún día mis campos en flor!
Hoy mira mi herida —mostróme su pecho
Y en él una boca sangrienta— hoy repara
En mí la congoja de un cuerpo deshecho[3];
Mañana a tus ojos seré como un dios!

—Tal vez, tal vez... dije— ¡Seguro, seguro!
Selene hoy esboza su rostro de cera,
Tres veces que nazca, tres veces que muera

Y vuelve a mis campos tu brillo de aurora!

. . . .

---

* Las siguientes son correcciones hechas por Delmira Agustini sobre la primera edición de *El libro blanco* (*Frágil*) de 1907.
[1] «—Reír? no, no, nunca! —respeto lo ignoto!».
[2] «Me apiada la angustia que pinta tu cara».
[3] «En mí la congoja de algo deshecho:».

Pasaron tres lunas, tres lunas de plata,
—Tres lunas de hierro! soñaba en mi espera.
Del hombre que hiciera la siembra escarlata
Marché hacia la extraña magnífica flora.

. . . .

—Hay hondas visiones, visiones que hielan,
Visiones que amargan por toda una vida!
La luz anunciada, la luz bendecida
Llenando los campos en forma de flor!
Y... en medio... un cadáver... crispadas las manos
—Murieron ahondando la trágica herida[4]—
Y en todo una nube de extraños gusanos
Babeando rastreros el sacro fulgor!

---

[4] «Que ahondando murieran la trágica herida».

LA MUSA GRIS*

Es blanca y es blanda, tan honda y muy blanca
—¡Solemne, tremenda blancura de cirio!—
Con grises ojeras tal rubras de muerte,
Con gestos muy lentos, muy lentos, muy místicos.

Y tiene un perfume de tristes violetas,
Y perlas tal lágrimas de náyades pálidas,
Y largos cabellos de sombra nublando
La torre de nieve que forma la espalda.

---

* Las siguientes son correcciones hechas por Delmira Agustini sobre la primera edición de *El libro blanco (Frágil)* de 1907. Este poema tiene muchas correcciones. Por esta razón creemos necesario transcribir el texto completo de la segunda versión:

> Es honda, muy honda, muy rara, muy blanca.
> (Solemne, tremenda blancura de cirio!)
> Sus grises ojeras de fiebre de tisis
> Hieráticos signos de horrendo ocultismo!
> En el blando cuello viborea de perlas
> Lágrimas de náyade en granadas sartas!
> Ruedan los cabellos de seda neurótica
> En pálida ola de rubio champaña!
> Glacial y monástica su blanca silueta
> Su suave silueta: cadencia de líneas!
> Con rara blandeza sus ritmos que esfuma
> Envuélvela trémulo en halo de plata
>
> El gris desmayante del velo de bruma!
> Lánguidos preludian el beso de ópalo
> Sus labios plomizos en finos temblores;
> Y mecen sus ojos en ondas sonámbulas
> Las grises leyendas del lívido norte!
> Su helante mirada sin fin, de vidente
> De esfinge insondable! mirar de ultra alma!
> Evoca crispantes visiones sin fondo
> monstruosos misterios de muda amenaza!

114

Glacial y monástica su blanca silueta
Parece que surge de fondos de enigma...
Envuélvela trémulo en halo de plata
El gris desmayante de un tul de neblina.

Sus labios profesan el beso más triste,
El que hunden los hombres en bocas de muertas.
Con ojos de acero nació allá en el Norte
País de leyendas, de espectros y nieblas.

Su helante mirada sin fin, de vidente,
Mirada invencible de esfinge y de estatua,
Evoca crispantes abismos sin fondo,
Monstruosos misterios de muda amenaza.
Yo sueño en sus brazos la tierra bretona
Con creencias que nacen temblando en las nieblas;

_____

Su canto, hondo, opaco, de vuelos sedosos
Se esfuma en la vaga penumbra de un eco,
Un fúnebre eco de pasos velados
Que se hunde en el alma sonando a misterio!
Un toque muy largo, muy largo a misterio!
Oh gris, gris solemne! Oh gris, gris de invierno!
De tercas brumas, de auroras enfermas;
Oh gris de misterio: tú tienes la musa
Más rara, más honda, la Musa suprema!
La lívida musa que oprime los fríos
Simbólicos cirios de anémica cera...

Dos flores de muerte que envuelven las almas
¡En largas miradas de luz cenicienta!
La musa tiene dos ojos de acero
Y un alma triste color de ceniza
Hay todo en sus ojos.

Y miran tal miran los fuertes fakires
Serpientes esfinges.
Yo sueño al mirarla la tierra bretona
Con creencias que nacen de brumas espesas
Fantasmas sombríos, tormentas
Y piedras muy grises en landas siniestras.

Faltan las dos últimas estrofas de este poema en esta primera versión

Fantasmas sombríos y rocas malditas,
Y piedras muy grises en landas siniestras.

Y canta solemne los largos inviernos
de *spleenes*, de brumas, de auroras enfermas,
Las blancas mañanas, los blancos ponientes,
Y amores tal graves pagodas de cera.

Yo adoro esa musa, la musa suprema,
Del alma y los ojos color de ceniza.
La musa que canta blancuras opacas,
Y el gris que es el fondo del hombre y la vida!

NARDOS*

En la sala medrosa
Entró la noche y me encontró soñando[1].

En el vaso chinesco, sobre el piano
Como un gran horizonte misterioso,
El haz de esbeltas flores opalinas
Da su perfume; un cálido perfume
Que surge ardiente de las suaves ceras
Florales, tal la llama de los cirios.
          Blandamente yo entorno
Los ojos y abandónome a sus ondas
Como un náufrago al juicio de los mares.

De las flores me llegan dos perfumes
Flotando en el cansancio de la hora,
Uno que es mirra y miel de los sentidos
Y otro grave y profundo que entra al alma,
Abierta toda, como se entra al templo
Y me parece que en la sombra vaga
Surgir los veo de las flores pálidas,
Y tienen bellas formas, raras formas...
Uno es un mago ardiente de oro y púrpuras

---

* Las siguientes son correcciones hechas por Delmira Agustini sobre la primera edición de *El libro blanco (Frágil)* de 1907. En la primera versión el poema se titulaba «Horas vagas».

[1] La siguiente es otra versión de la primera estrofa; (Cuaderno IV, Folio 68-71 del Archivo D.A.):

    Horas vagas
    En la sala medrosa
    Entró la noche y me encontró soñando.

Otro una monja de color de cera
Como un gran cirio erguida,
Y con dos manos afiladas, lívidas
Que me abren amplias puertas ignoradas
        Que yo cruzo temblando.

Muchas cosas me cuentan, muchas cosas,
Las flores de ópalo en su extraña lengua;
Cosas tan raras y hondas, tan difusas
En el fondo de sombras de la sala,
Que he llegado a pensarme un gran vidente
Que leyera en la calma de las cosas
Formidables secretos de la vida!

¡Oh flores, me embriagáis, y sois tan blancas!
Tan blancas que alumbráis y yo os contemplo
Como el sello de Dios en las tinieblas.

¡Oh flores, hablad mucho! acá en la sombra
        Vuestras voces me llegan
Como a través del muro inderrocable
Que separa la Muerte de la Vida.

Siento venir el sueño.
Vuestro perfume en sus calladas ondas,
Como un rey oriental que navegara
Majestuoso de imperio y de pereza
En su barca pomposa, a mí le trae!

¡Oh flores, hablad más, habladme mucho!
Vuestra voz no es tan clara. Decid, flores,
En la muerte invariable de esa estatua
¿No hay una extraña vida? Decid, flores,
¿Las tinieblas no son una compacta
Procesión de mujeres enlutadas
Marchando hacia la luz? Decidme flores
¿Qué sabéis del misterio de la vida...
De la inmensa leyenda del Calvario...
Qué del vuelo supremo de las almas?...

118

. . . .

Las cavernas del sueño: decid, flores,
¿No serán... el oasis... de la vida?

ARABESCO*

Me dormí... la cabeza llena de los derroches
De hechizos, monstruos, gemas de las Mil y una No-
[ches.

Y soñé del Oriente, del fabuloso Oriente,
De enigmas, de leyendas, de conjuros, de fieras,
De filtros hechizados, de largas cabelleras.
Hatchis, perlas, perfumes... La gran pereza ardiente.

El rostro pavoroso de la Esfinge durmiente,
El gran sultán moreno, las hondas bayaderas
De cuerpos misteriosos y ritmos de panteras,
Y el fakir con siniestras pupilas de serpiente.

. . . .

Es brillante mi corte, soy morena y sultana,
Hacia un país lejano, una bella mañana,
Paso por los desiertos en mi blanco elefante;
Una ola de perfumes llevo en los negros rizos,
Esgrimen mis pupilas sus más fuertes hechizos
Y oculto un raro pomo con tapa de diamante!

_____

* Originariamente, el título era «Me dormí».

MI ORACIÓN

Mi templo está allá lejos, tras de la selva huraña.
Allá salvaje y triste mi altar es la montaña,
Mi cúpula los cielos, mi cáliz el de un lirio;
Allá, cuando en las tardes lentas, la mano extraña
Del crepúsculo enciende en cada estrella un cirio,

Por entre los fantasmas y las calmas del monte,
Va mi musa errabunda, abriendo un horizonte
En cada ademán... Hija del Orgullo y la Sombra,
Con los ojos más fieros e intrincados que el monte,
Pasa, y el alma grave de la selva se asombra.

Y allá en las tardes tristes, al pie de la montaña,
Serena, blanca, muda, con esplendores de astro,
Erige la plegaria su torre de alabastro...
Y es la oración más honda para mi musa extraña,
Tal vez porque hay en ella la voz de la montaña
Y el homenaje mudo de la natura grave...
Es la oración del alma, flor grandiosa y huraña
De los grandes desiertos. En los templos no cabe.

NOCTURNO HIVERNAL

«Era un viejo castillo... Afuera silbaba el viento...»
Y surgieron en la noche los mirajes formidables
De la remota leyenda. Y la extraña viejecita,
Cargada de evocaciones, contando de otras edades
Me hacía soñar en ruinas testigos de muchos siglos...
Miraba lejos, muy lejos, con los ojos como estanques.
«Era en un viejo castillo... Afuera silbaba el viento...»
¿Por qué la voz de la abuela llegaba a mí como un
[eco?

....

Mi musa tomó un día la placentera ruta
De los campos fragantes; ornada de alboholes,
Perfumando sus labios en la miel de la fruta
Y dorando su cuerpo al fuego de los soles.

Vivió como una ninfa: desnuda, en fresca gruta,
Engalanando espejos de lagos tornasoles
La gran garza rosada de su forma impoluta.
Volvió a mí como el oro de luz de los crisoles,

Más pura; los cabellos emperlados de gotas
Lucientes y prendidos de abrojos; trajo notas
De pájaro silvestre, más frescura y más fuego...
Yo peinéla y vestíla sus parisinas galas,
Y ella hoy grave pasea por mis brillantes salas
Un gran aire salvaje y un perfume de espliego.

VISIÓN DE OTOÑO

Fue una tarde de plata. Largas ráfagas frías
Arrastraban chirriando las hojas amarillas.

Pasó... pasó y flotaron sensaciones de tisis...
Dos signos cabalísticos eran sus ojos grises...

Por el parque espectral divagó su silueta...
Temblaba en toda ella un temblor de hoja seca!...

El cierzo, que va en ondas, con sus alas de acero,
La azotaba violento, le agolpaba el cabello.

Bajo los viejos árboles descarnados, grisientos,
Que al cielo se alzan rígidos como manos de espectros;

Pasó... gimió a su paso un chirriar de hojas secas,
Y fue como una ráfaga de un frío de ultratierra.

El sol, rompiendo lento una nube de plata,
Miróla extrañamente con su pupila extática.

Pasó... flotó una helada sensación de misterio,
Un olor de violetas y... se perdió a lo lejos.

CARNAVAL

Frufrúes, tintines[1],
Sedas, cascabeles,
Collares de risas
Chillidos alegres!

—¿Quién es?... Adelante!
—Soy yo... Carnaval!
(Tintines, perfumes,
Reír de cristal.)

Vibrante mancebo
De vívidos ojos,
(Cuentas, lentejuelas,
Cintarrajos rojos).

—¿Qué buscas? —Tus rimas,
Verás cual se alegran!
Darélas sonrisas,
Y flores, y perlas!

Entre finos pajes
Y suaves duquesas,
Y blancas pelucas
De antiguas princesas;

Risas, jugueteos,
Estallar de flores!
Luchas perfumadas!
Lluvias de colores!

---

[1] El poema comenzaba «Fragancias, frufúes / Tin tin! cascabeles».

Saltando en los labios
De extraña careta,
El chiste que punza
Como una saeta!

Jugando en el baile
El pie de satín,
Lloviznen los labios
Perlado reír!

Hervor de champaña,
Chocar de cristales,
Crujidos de sedas
Y risas triunfales.

Collares, diademas,
Y cintas y tules,
Y estrellas doradas,
Y cuentas azules!

(Tintines, perfumes,
Perlado reír.)
—¿Por qué estás alegre?
—No sé!... Porque sí!

. . . .
. . . .

—Ya tienes mis rimas,
Muñeco sonoro,
Yo adoro tu charla,
Tus risas adoro,

Tus cuentas chillonas
Y tus lazos rojos,
Mas, dime: ¿tu alma?
—Ven! Mira en mis ojos!

Miré, busqué el fondo
Con rara ansiedad,
Vi un pozo muy frío, muy negro, muy hondo
Y dentro la horrenda serpiente del mal.

. . . .

(Tintines, perfumes,
Reír de cristal.)

coloquio de los centauros

DE MI NUMEN A LA MUERTE*

Emperatriz sombría,
Si un día,
Herido de un capricho misterioso y aciago,
Yo llegara a tu torre sombría
contrario
Con mi leve y espléndido bagaje de rey mago
A volcar en tu copa de mármol mis martirios,
Sellarás más tu puerta y apagarás tus cirios[1]...

En mi raro tesoro,
Hay, entre los diamante y los topacios de oro,
Y el gran rubí sangriento como enconada herida,
El capullo azulado y ardiente de una estrella
Que ha de abrir a los ojos suspensos de la Vida[2],
Con una lumbre nueva, inmarcesible y bella![3]

---

* Las siguientes son correcciones hechas por Delmira Agustini sobre la primera edición de *El libro blanco (Frágil)* de 1907.
[1] «Calla y no abras ¡o noble señora de los Cirios!».
[2] «Que ha de abrirse a los ojos suspensos de la Vida».
[3] «Con una lumbre nueva, inconcebible y bella!».

MUERTE MAGNA

Allá junto a los amplios, profundos océanos
Donde los soles mueren entre inefables sones,
Id a soñar. De vagas, exóticas visiones
Poblad los horizontes brumosos y lejanos.

Escuchad, allá, graves, las raras inflexiones
Del canto de la ola que cuenta sus arcanos,
Y al asomar los barcos sombríos y lontanos
Soñad que algo muy nuevo traerán de otras regiones,

Y cuando el sol muriendo su despedida tiende,
Y en las aguas se hunde como un dios que desciende
A visitar en su honda mansión a una sirena,
Meditad de esa muerte en la bella armonía
De dulzura y soberbia. Es la duple agonía
De Cristo en el Calvario, del Corso en Santa Elena!

EL POETA Y LA DIOSA*

Entré temblando a la gruta
Misteriosa cuya puerta
Cubre una mampara hirsuta
De cardos y de cicuta,
Crucé temblando la incierta

Sombra de una galería
En que acechar parecía
La guadaña de la muerte.
—El Miedo erguido blandía
Como un triunfo mi alma fuerte—.

Un roce de terciopelo
Siento en el rostro, en la mano.
—Arañas tendiendo un velo—
¡A cada paso en el suelo
Siento que aplasto un gusano!

A una vaga luz de plata,
En cámara misteriosa,
Mi fiera boca escarlata
Besó la olímpica nata
Del albo pie de la diosa!
—Brillante como una estrella,
La diosa nubla su rara
Faz enigmática y bella,
Con densa gasa: sin ella
Dicen que el verla cegara—.

---

* Las siguientes son correcciones hechas por Delmira Agustini sobre la primera edición de *El libro blanco (Frágil)* de 1907.

Ebrio de ensueños, del hada,
—Es hada y diosa— y la helada
Luz de su mística estancia,
Alzo mi copa labrada
Y digo trémulo: Escancia!

Con sus dedos sibilinos
Como un enigma que inspira
En cien vasos opalinos
Escancióme raros vinos
A la sombra de una lira...

Un verde licor violento
Tras cuyos almos delirios
Acecha un diablo sangriento;
Otro color pensamiento
Con sueños a luz de cirios[1]...
Y nobles zumos añejos

Con la fuerza de lo puro,
Vinos nuevos con reflejos
Imprevistos y los dejos
De un sumo néctar futuro.

Y gusté todos los vinos
De la maga, todos finos
Y —¡oh Dios!— de distintos modos,
Todos deliciosos, bellos![2]...
—Poned un poco de todos!

---

[1] «Que hace soñar con cirios».
[2] «Fuertes, exquisitos, bellos!»

TARDE PÁLIDA*

Evocadora el alma palidece
Toda velada de un dolor muy vago,
En el cielo lechoso hay un amago
De tempestad, la tarde palidece.

Enmascarado y lento el sol de Otoño
Hacia un poniente turbio se encamina,
Sobre el paisaje soñador se inclina,
Suave y profunda, del exangüe Otoño

La tristeza tenaz... Yo que en la pálida
Floresta del dolor junto a mis rosas,
Sé que no aroman nunca más gloriosas
Que del Otoño en una tarde pálida.

Como voces lejanas en la noche
Vienen al alma los dolores viejos,
Cada racha que pasa trae de lejos
Otro dolor y otro dolor... La noche,

Vendrá a borrar la tarde blanquecina,
El cielo será un piélago de sombras...
¿Alma, de qué te asombras?
¿Crees eterna la tarde blanquecina?

Sí, y tú la amabas ya, ¿verdad? la amabas,
Tal llega a amarse un gran dolor amigo,
Hermano aciago, trágico testigo
De largos años... Alma, tú la amabas

---

* El título original del poema era «Evocadora del alma».

Como el gran vaso raro y exquisito
En que apuraras néctares añejos
—El rancio zumo de los males viejos
Tiene un sabor de pátina exquisito—.

Pero el sol cae, cae allá a lo lejos
Lento y soberbio, como un rey vencido,
En púrpuras ardientes. —Ya ha caído...
Y en ti perduran los amargos dejos
De un gran pasado triste revivido
En una tarde que murió allá lejos!

EL POETA Y LA ILUSIÓN

La princesita hipsipilo, la vibrátil filigrana,
—Princesita ojos turquesas esculpida en porcelana—
Llamó una noche a mi puerta con sus manitas de lis.
Vibró el cristal de su voz como una flauta galana.

      —Yo sé que tu vida es gris.
Yo tengo el alma de rosa, frescuras de flor temprana,
      Vengo de un bello país
      A ser tu musa y tu hermana!—

Un abrazo de alabastro... luego en el clavel sonoro
De su boca, miel suavísima; nube de perfume y oro
La pomposa cabellera me inundó como un diluvio.
Oh miel, frescuras, perfumes!... Súbito el sueño, la som-
                                 [bra
Que embriaga... Y, cuando despierto, el sol que alumbra
                                 [en mi alfombra
Un falso rubí muy rojo y un falso rizo muy rubio!

MEDIOEVAL*

Dulces romanceos
De caballerías
Hay albor de besos,
Hay rojez de heridas...

Honda noche muda
De grandor supremo,
Una pluma pálida
De mirar enfermo...
En corcel vibrante
De nerviosos remos,
Cruza la llanura
Noble caballero...
Es la media noche,
Es hora de espectros!...

Corre palpitante,
Su mirar foguea;
Al entrar del bosque
Su rival le espera,
Y allá, en el castillo
De torres grisientas
Con sus ojos garzos,
Sus manos de seda,
En la alta ventana
Su fina duquesa...
Y tiembla su lanza,
Y sus labios tiemblan...

Llega, llega el alba,
Vuelve el caballero,

_____
* Originalmente llevaba el título «Dulces Romanceos».

Lenta, lentamente,
Pensativo y fiero.
Vuelve, vuelve y trae
Gloriosos trofeos...
Son dos besos largos,
Son dos hondos besos:
Uno blanco y suave
En los labios trémulos,
Y uno rojo, ardiente,
Que es rubí y que es fuego!
Lo sorbió su lanza
Al labio sangriento
De una roja herida
De rubí y de fuego!
Vuelve el caballero,
En sus glorias sueña...
Son dos besos largos
De rubí y de perla;
Uno del contrario,
Otro de su reina...
Y tiembla su lanza,
Y sus labios tiemblan!!...

EVOCACIÓN*

¡Venga febril el impalpable ensueño!
¡Venga incorpórea la visión fantástica!
Vengan trayendo el néctar del delirio
En opalinas, irisadas ánforas!

Vengan, sí, vengan mis ensueños leves,
Los de las vestes de brumosas gasas;
Los que en el oro de sus rizos nievan
Copos de orquídeas enfermizas, pálidas!

Vengan, sí, vengan mis visiones regias,
Las de las bocas de rubí y de llama,
Las que en las ondas negras de sus rizos
Tejen espumas de camelias blancas!

Vengan ahora mis fantasmas tétricos.
De ojos cansados como enfermas almas;
Los de las hondas, lívidas ojeras,
Plomizos labios y pesadas alas;
Los que sus frentes de marfil coronan
Con negras flores de una selva extraña!

. . . .

Venga, sí, venga el impalpable ensueño.
Venga, sí, venga la visión fantástica,
Vengan trayendo el néctar del delirio
En opalinas, irisadas ánforas.

---

* Este poema se publicó por primera vez en *La Alborada,* 30 de agosto de 1903.

Vengan y empapen los resecos labios
En la ambrosía que Quimera escancia.
¡Arda la fiebre del delirio al choque
De una mirada de sus ojos ascuas!

Y entre las rojas llamas del incendio
Tienda su vuelo misterioso al alma,
Llegue febril al encantado reino
De fantasía, la divina maga!

Reino feliz donde se ignora el Tiempo,
Donde no alcanza la verdad amarga;
Ni el que labra los surcos en los rostros,
Ni la que hunde sus garras en las almas!

Reino feliz donde los sueños tienen
Lagos de luz para bañar sus alas,
Donde hay estrellas de fulgores negros,
Donde hay abismos de gargantas blancas!

Reino feliz, en cuyos lagos de oro
Hundir quisiera eternamente el alma,
Vivir allá la vagarosa vida
De los ensueños de impalpables alas,
Sin el espectro destructor del Tiempo,
Sin el fantasma eterno del mañana;
Sin que viniera la verdad impía
A arrebatarme de mi vida extraña,
Vida incorpórea, irrealizable, única,
Vida de ensueños, ilusión, fantasmas!

. . . .

Venga febril, el impalpable ensueño!
Venga incorpórea la visión fantástica,
Vengan trayendo el néctar del delirio
En opalinas, irisadas ánforas!
Vengan y empapen los resecos labios
En la ambrosía que Quimera escancia!

LA MIEL

Busca en la miel de los sueños
Sagrada Embriaguez. Sin ceños
Se abre a ti la mar dorada.
Boga, Simbad de los sueños!

Peregrino de una hada
Cruza climas halagüeños
Lleva tu boca enmelada
Al beso de miel del hada.

¡La suma miel! Mas tú toca
Un punto la maga boca
Y alza un dique de diamante
Entre ella y tu golosina.
—Goza la flor un instante
Y... cuidando de la espina.

UNA CHISPA

Fue un ensueño de fuego
Con luces fascinantes
Y fieras de rubíes tal heridos diamantes;
Rayo de sangre y fuego
Incendió de oro y púrpura todo mi Oriente gris.
Me quedé como ciego...
¡Qué luz!... —¿Y luego, y luego?...
—¿Luego?... El Oriente gris...

LA CANCIÓN DEL MENDIGO*

Fue una canción muy triste, una canción de antaño
Despertada de pronto... Fue como si el acento
Vagamente olvidado de una voz muy amiga
A través de los años viniera a sorprendernos.
Una vieja aria triste trayendo entre sus pátinas
                    De los días muy lejos,
Un antiguo perfume misterioso y querido,
Cada nota una vieja visión, un viejo ensueño.

—¡Oh, la grave aria triste roída por los años,
Evocóme un paseo lento en un parque viejo
Buscando entre la hierba los senderos de antaño
Y en el dormido estanque la visión de otros tiempos!—
La voz que la decía era el molde más digno
                    A su sabor añejo...
Yo lloré, lloré mucho... la mañana era opaca...
La canción era triste... el mendigo muy viejo...

Súbito vi del hada madrina el tul celeste,
Las alas de diamantes, el peto de cristal;
Brillantes de rocío traía en la azul veste,
El carro de turquesas, la cabellera astral;

Y abrojos y perfumes que un largo viaje agreste
Prendiera bajo el oro de un cielo matinal,
Dijo: en tu cuna pongo esta flor, ella preste
Su miel y su fragancia a tu fiesta auroral.

La he buscado a través de los campos salvajes
Mil años! Hoy corona la angustia de mis viajes:

---

* En algunas ediciones, se ha confundido este poema que no lleva título como parte del poema anterior, «La canción del mendigo».

Tómala, tuya es. —Gracias!, gacias madrina!—
—Alma de extraña planta que rara vez florece.
La flor que aquí te ofrezco jamás, jamás fenece!...
Y es reina del perfume, del pétalo y la espina!

PASÓ LA ILUSIÓN

Pasa la maga —Sabes? La Graciosa y Profunda
Que abreva en frescos lagos sedientos corazones,
La que esmalta audazmente de gráciles visiones
La gran copa siniestra de la Vida iracunda.

Mis pupilas suspensas de su gracia profunda,
La ofrezco hacerle en cambio de sus rosados dones
Un blanco pedestal de todas mis canciones!
Me mira y alborea su sonrisa que inunda.

Y ungido en la miel rosa de esa sonrisa es suave
El silencio en que envuelve su silueta de äve.
—¿Por qué vino en la tarde de marfil tan sombría?...
En la bruma muy lejos la perdió la mirada.
¿Por qué ¡oh Dios! en mi alma queda sin quedar nada
Como queda un perfume, una ardiente alegría?

BATIENDO LA SELVA

Cuando cruzas la selva tras los corzos sedeños
Y albos; la melena feroz, los ojos crueles,
Entre la blanca fuga de tus raros lebreles,
Sobre el corcel de nieve, Nemrod de los ensueños,

Yo deleito mi oído en el vuelo sonoro
Del alma misteriosa de tu olifante de oro,
Y golosa y alegre sonrío a la promesa
De la caza exquisita que aromará tu mesa.

VARIACIONES*

Áspid punzante de la envidia, ave!
Tú fustigas la calma que congela,
El rayo brota en la violencia, el ave
En paz se esponja y acosada vuela!

Si hay en Luzbel emanación divina
En ti hay umbre de infernal nobleza,
Rampante, alada, la ambición fascina—
Y si tu instinto al lodazal se inclina
Reptil tú eres y tu ley es ésa!

Mírame mucho que mi mente inflamas
Con la luz fiera de tus ojos crueles...
¡Ah, si vieras cual lucen tus escamas
En el tronco vivaz de mis laureles!

Gozaste el día que abismé mis galas,
Cóndor herido renegando el vuelo;
Hoy concluye tu triunfo, hay en las alas
Fatalidad que las impulsa al cielo!

Si de mis cantos al gran haz sonoro
Tu cinta anudas de azabache fiero,
Sabio te sé: de mi auroral tesoro
Lo que dejas caer yo no lo quiero!

Esa cinta sombría es la Victoria...
Cuando describes tu ondulado rastro
Por todos los senderos de la gloria
Muerdes sombras de ala, luces de astro.

---

* El texto de este poema se incluyó incorrectamente como parte del
poema cuyo primer verso dice: «Llora mi musa, llora en silencio», en la
edición de 1907.

Forja en la noche de tu vida impía
Cruces soñadas a mi blanca musa,
¡Si ha de vivir hasta cegar un día
Tus siniestras pupilas de Medusa!

No huyas, no, te quiero, así, a mi lado
Hasta la Muerte, y más allá: ¿te asombra?
Seguido la experiencia me ha enseñado
Que la sombra da luz y la luz sombra...

Y estrecha y muerde en el furor ingente;
Flor de una aciaga Flora esclarecida,
Quiero mostrarme al porvenir de frente,
Con el blasón supremo de tu diente
En los pétalos todos de mi vida!

LA AGONÍA DE UN SUEÑO*

Llora, mi musa, llora, en silencio
De esta noche tan triste, hay sueños crueles,
Vasos brillantes raramente rotos
Cuando va el alma a saborear sus mieles.

Hoy me vence el dolor. —¿Por qué en las noches
Las visiones sombrías se agigantan?
Hoy muere el ritmo poderoso y frío
En que la idea es una llama fatua.

En tierra ya el castillo de mi orgullo
Mi alma vencida en lo vulgar se aplasta:
Cuanto más alto el pedestal, si cae,
En más pedazos rodará la estatua!

Más tarde o más temprano, los soberbios
Que el mundo cruzan con la frente erguida,
Cantando olimpos, en el fiero pecho
Han de mostrar la llaga de la vida.

En mis jardines se acabó la pompa
Del crisantemo y de la rosa cálida,
Revivirán mis pasionarias tristes
Al riego tibio y suave de las lágrimas.

Y cómo es dulce el amargor del llanto
Que cae sobre las tumbas de los sueños!
Siempre un misterio en las cenizas frías
Trae como el eco de calores viejos.

---

   * Este poema aparece en la primera edición de *El libro blanco*, pero no fue listado en el índice. Es el poema 38 de este poemario, pero parece haber habido un error de composición. Esto ocasionó confusiones en ediciones posteriores.

Nunca habéis visto agonizar un sueño?
Un noble sueño que llenó la vida?...
No es más amargo que los mares todos
Ese momento de dolor? ¿Qué herida

Inventó el Sino que más honda fuera?...
Nada más frío que la muerte, nada
Más angustioso que el adiós eterno,
«Nunca...» Un abismo de palabra helada!

Feroz, maldita si su saña llega
Hasta la frente de candor de un sueño!
Mal haya el genio destructor que goza
Derrumbando castillos marfileños!

Y bendito el orgullo que en mis ojos
Congela el llanto con su glosa fría:
Protestar sin vencer es humillante:
Por qué exponerse al pie de la ironía?—

¡Ah, no, no lloro más! Pase el Destino,
Pase el dolor del brazo de la Muerte,
Les miraré pasar desde mis torres
Con una calma atroz que desconcierte!

MI MUSA TRISTE

Vagos preludios. En la noche espléndida
Su voz de perlas una fuente calla,
Cuelgan las brisas sus celestes pífanos
En el follaje. Las cabezas pardas
De los búhos acechan.
Las flores se abren más, como asombradas
Los cisnes de marfil tienden los cuellos
En las lagunas pálidas.
Selene mira del azul. Las frondas
Tiemblan... y todo! hasta el silencio, calla...

Es que ella pasa con su boca triste
Y el gran misterio de sus ojos de ámbar,
A través de la noche, hacia el olvido,
Como una estrella fugitiva y blanca.
Como una destronada reina exótica
De bellos gestos y palabras raras.

Horizontes violados sus ojeras.
Dentro, sus ojos —dos estrellas de ámbar—
Se abren cansados y húmedos y tristes
Como llagas de luz que se quejaran.

Es un dolor que vive y que no espera,
Es una aurora gris que se levanta
Del gran lecho de sombras de la noche,
Cansada ya, sin esplendor, sin ansias
Y sus canciones son como hadas tristes
Alhajadas de lágrimas...

        Las cuerdas de las liras
        Son fibras de las almas—.

Sangre de amargas viñas, nobles viñas,
En vasos regios de belleza, escancia
A manos de marfil, labios tallados
Como blasones de una estirpe magna.

Príncipes raros del Ensueño! Ellos
Han visto erguida su cabeza lánguida.
Y la oyeron reír, porque a sus ojos
Vibra y se expande en flor de aristocracias.

Y su alma limpia como el fuego alumbra,
Como una estrella en sus pupilas de ámbar;
Mas basta una mirada, un roce apenas,
El eco acaso de una voz profana,
Y el alma blanca y limpia se concentra
Como una flor de luz que se cerrara!

AL CLARO DE LUNA

La luna es pálida y triste, la luna es exangüe y yerta.
La media luna figúraseme un suave perfil de muerta...
Yo que prefiero a la insigne palidez encarecida
De todas las perlas árabes, la rosa recién abierta,

Es un rincón del terruño con el color de la vida,
Adoro esa luna pálida, adoro esa faz de muerta!
Y en el altar de las noches, como una flor encendida
Y ebria de extraños perfumes, mi alma la inciensa ren-
[dida.
Yo sé de labios marchitos en la blasfemia y el vino,
Que besan tras de la orgía sus huellas en el camino;
Locos que mueren besando su imagen en lagos yer-
[tos...
Porque ella es luz de inocencia, porque a esa luz miste-
[riosa
Alumbran las cosas blancas, se ponen blancas las co-
[sas,
Y hasta las almas más negras toman clarores inciertos!

AVE DE LUZ*

Existe un ave extraña de vuelo inconcebible,
De regias esbelteces, de olímpica actitud;
Sus alas al batirse desflecan resplandores
Sus ojos insondables son piélagos de luz!

Es toda luz, su sangre es un licor de fuego;
De briznas de fulgores su rica plumazón;
Su pico al entreabrirse desgrana sartas de astros;
Como ella es toda lumbre, de lumbre es su canción!

Su vuelo inconcebible ignora los obstáculos!
Abarca lo infinito en toda su extensión,
Arranca negras sombras del fondo del abismo,
Collares de destellos a veces trae el sol!

Con filamentos de astros y polvos de diamantes,
Labro bello su nido: lucífero joyel!
Lo teje en los cerebros más claros: allí encuentra
La esencia de la lumbre que es savia de su ser!

Postraos ante el hombre que lleva en su cerebro
Esa ave misteriosa ¡manojo de fulgor!
Que mata, que enloquece, que crea y que ilumina
¡Aquel en quien anida, es émulo de Dios!

---

* Se publicó por primera vez en *La Alborada,* 19 de julio de 1903.
Llevaba la siguiente dedicatoria: (Al doctor José Pedro Rodríguez, a esa
personalidad descollante, incomparablemente simpática; a ese Hércules
de la idea, a ese titán de la palabra hacia cuya figura me han atraído
siempre los lazos de la admiración, aún más que los del parentesco, dedico esta pálida poesía nacida de una imaginación demasiado joven y tal
vez demasiado absoluta. ¡Ah! si mis pobres versos pudieran convertirse
en astros, con cuánto gusto formaría con ellos una corona para ceñir la
frente del querido pacificador, del talentoso abogado uruguayo!)

¡Oh Genio! ¡extraña ave de vuelo inconcebible!
De regias esbelteces, de olímpica actitud;
Escucha: yo te brindo mis frescas ilusiones,
Mis mágicos ensueños, mi rica juventud,
¡A cambio de un instante de vida en mi cerebro!
¡A cambio de un arpegio de tu canción de luz!

. . . . *

Sobre el mar que los cielos del Ensueño retrata
Alza mi torre azul su capitel de plata
Que Eolo pulsa rara, dulcemente; suspira
Al pie la vaga ola su vaga serenata.

Y yo sueño en los cantos que duermen en mi lira.
Cuando un ave vibrante de plumaje escarlata[1]
En la ventana abierta se detiene y me mira:
¿Qué haces? —dice; allá abajo es primavera!— Inspira

Ansia de sol, de rosas, de caricias, de vida,
La mágica palabra! Vuela el ave encendida.
Yo bajo, desamarro mi yate marfileño
Y corto mares hacia la alegre primavera.
A mi espalda, en la solas, solitaria y austera
Mi torre azul se yergue como un largo «Ave Ensueño!»

---

* Las siguientes son correcciones hechas por Delmira Agustini sobre la primera edición de *El libro blanco* (*Frágil*) de 1907.
[1] «Súbito, extraña äve de plumaje escarlata».

INICIACIÓN

A la sagrada selva en que el ave se inspira
Dando vuelo a los sueños sonoros de mi lira,
Entro: los ojos verdes de la serpiente de oro
Brillan en la maleza; cesa al alado coro

En su meliflua glosa; Eolo no respira;
El alma del boscaje parece que me mira
Y en el cielo los ojos de Apolo nubla un lloro...
Yo despliego ampliamente mi oriflama sonoro

Y saludo a la selva. Sólo contesta Apolo:
Eres grande —me dice—, tu destino es ser solo
Por odio de las sierpes y miedo del bulbul;
¡Oh gloria más grande! —y su sonrisa ardiente
Llenó el abismo azul...
                        Luego tronó su voz
La soledad encumbra, vivirla augustamente
Es igualar las cimas, es acercarse a Dios!

155

MIS ÍDOLOS*

En el templo colmado de adoraciones graves,
Entre largos silencios y penumbras muy suaves,
Se alzaban revistiendo majestades supremas;
Eran muchos y varios, y a todos yo adoraba
Por igual y a sus pies yo las horas dejaba
Pasar, mudas y lentas, ideas, dibujando zalemas
Y deshojando orquídeas[1], entre olores complejos
De maderas de Arabia y de pétalos viejos.

Mi fe era inconmovible, pintorescos mis ritos;
Prestigiados mis ídolos por los más bellos mitos,
Me llegaban de tierras no vistas, de muy lejos,
Menudos y enigmáticos, en estuches preciosos,
Y los amé por raros, pulidos y pomposos.

Y los había bellos hasta el dolor, y feos
Hasta la risa; irónicos, con afilados dientes
Que desgarran sonriendo; rostros de camafeos
Engarzados en cuerpos dúctiles de serpientes;
Monstruos dioses con gestos indecisos y varios,
—Miradas de demonios sobre sonrisas santas—
Y en todos el gran sello de raro que a sus plantas
Hacía arder mis pupilas como dos incensarios.

Y era tal mi piedad[2], y era tal mi cariño
Que a sus pies todo de ellos mi corazón dormía,
Como un vaso sellado que amenaza de lleno,
O el gran capullo, hinchado, de un gran lirio de ar-
                                                      [miño.

---

* Este poema ofrece variantes con la primera edición de 1907.
[1] Y deshojando flores.
[2] Y era tal mi fe pura.

Y mi vida en un éxtasis dulcemente yacía
Como un gran lago límpido que reflejara el cielo.

Así bajo los rostros sombríos y risueños
Yo viví sin vivir, largo tiempo, rezando
O en la rueca tranquila de las horas hilando
Los copos impecables de una seda de ensueños.

Cuando a través del tiempo se abrió la inmensa puer-
[ta,
Rechinaron cruelmente los goznes enmohecidos,
Y yo cerré a la luz mis ojos entumidos...
Luego en la gloria de oro de la luz viva y cierta,
Entre un perfume alegre de flores campesinas,
Que sacudió mi espesa borrachera de incienso,

Surgió un ídolo nuevo, palpitante e inmenso!
Y ëran sus divinas pupilas casi humanas
Y sus divinos labios reían a la vida.
Yo miré largamente la gran figura erguida
Sin descubrir las viejas frialdades sobrehumanas,

Y comparé mis ídolos imperiosos, irguiendo
Fieramente sus frágiles monstruosidades, y este
Dios que a la vida exhibe como una flor, sonriendo
Los sellos indelebles de una estirpe celeste...
Y escuché en mí una extraña discusión de mil voces...
Súbito una alocada racha de primavera
Jugueteó entre mis ídolos... vacilaron... cayeron...
Y hubo un gran ruido alegre de porcelana huera!
Yo creí y en mí, fiera, noblemente, surgieron
En unísono coro las misteriosas voces,
Cantando las eternas victorias de la vida!

Luego, con los brillantes escombros formé un claro
Altar para el dios nuevo que reinó, simple y fuerte,
En la belleza austera del templo de lo raro
Donde todo vivía como herido de muerte.
Y quité el polvo viejo, las corolas marchitas,

Y traje de los campos alegres margaritas
De vívidas corolas y de perfume santo.
Y ofrendé al nuevo dios mi corazón que abría
Como una flor de sangre, de amor y de armonía.

Y le adoré con ansias y le adoré con llanto!

MISTERIO, VEN*

Ven, oye, yo te evoco.
Extraño amado de mi musa extraña,
Ven, tú, el que meces los enigmas hondos
En el vibrar de las pupilas cálidas.
El que ahondas los cauces de amatista
  De las ojeras cárdenas...
  Ven, oye, yo te evoco,
Extraño amado de mi musa extraña!

 Ven, tú, el que imprimes un solemne ritmo
Al parpadeo de la tumba helada;
El que dictas los lúgubres acentos
Del decir hondo de las sombras trágicas.
Ven, tú, el poeta abrumador, que pulsas
La lira del silencio: la más rara!
La de las largas vibraciones mudas,
La que se acorda al diapasón del alma!
  Ven, oye, yo te evoco,
Extraño amado de mi musa extraña!

. . . .

Ven, acércate a mí, que en mis pupilas
Se hundan las tuyas en tenaz mirada,
Vislumbre en ellas, el sublime enigma
  Del *más allá,* que espanta...
Ven... acércate más... clava en mis labios
  Tus fríos labios de ámbar,
Guste yo en ellos el sabor ignoto
De la esencia enervante de tu alma!

---

* Este poema se publicó por primera vez en la revista *La Albora-da,* 10 de enero de 1904.

. . . .

Ven, oye yo te evoco,
Extraño amado de mi musa extraña!

Orla rosa

[anotación manuscrita: L punto de transición]

ÍNTIMA

Yo te diré los sueños de mi vida
En lo más hondo de la noche azul...
Mi alma desnuda temblará en tus manos,
Sobre tus hombros pesará mi cruz.

Las cumbres de la vida son tan solas,
Tan solas y tan frías! Yo encerré
Mis ansias en mí misma, y toda entera
Como una torre de marfil me alcé.

Hoy abriré a tu alma el gran misterio;
Ella es capaz de penetrar en mí.
En el silencio hay vértigos de abismo:
Yo vacilaba, me sostengo en ti.

Muero de ensueños; beberé en tus fuentes
Puras y frescas la verdad: yo sé
Que está en el fondo magno de tu pecho
El manantial que vencerá mi sed.

Y sé que en nuestras vidas se produjo
El milagro inefable del reflejo...
En el silencio de la noche mi alma
Llega a la tuya como a un gran espejo.

Imagina el amor que habré soñado
En la tumba glacial de mi silencio!
Más grande que la vida, más que el sueño,
Bajo el azur sin fin se sintió preso.

Imagina mi amor, amor que quiere
Vida imposible, vida sobrehumana,
Tú que sabes si pesan, si consumen
Alma y sueños de Olimpo en carne humana.

163

Y cuando frente al alma que sentía
Poco el azur para bañar sus alas,
Como un gran horizonte aurisolado
O una playa de luz, se abrió tu alma...

Imagina! Estrechar vivo, radiante
El imposible! La ilusión vivida!
Bendije a Dios, al sol, la flor, el aire,
La vida toda porque tú eras vida!

Si con angustia yo compré esta dicha,
Bendito el llanto que manchó mis ojos!
¡Todas las llagas del pasado ríen
Al sol naciente por sus labios rojos!

¡Ah! tú sabrás mi amor, mas vamos lejos
A través de la noche florecida;
Acá lo humano asusta, acá se oye,
Se ve, se siente sin cesar la vida.

Vamos más lejos en la noche, vamos
Donde ni un eco repercuta en mí,
Como una flor nocturna allá en la sombra
Yo abriré dulcemente para ti.

EXPLOSIÓN*

Si la vida es amor, bendita sea!
Quiero más vida para amar! Hoy siento
Que no valen mil años de la idea
Lo que un minuto azul del sentimiento.

Mi corazón moría triste y lento...
Hoy abre en luz como una flor febea;
¡La vida brota como un mar violento
Donde la mano del amor golpea!

Hoy partió hacia la noche, triste, fría,
Rotas las alas mi melancolía;
Como una vieja mancha de dolor
En la sombra lejana se deslíe...
Mi vida toda canta, besa ríe!
Mi vida toda es una boca en flor!

---

* En la publicación de *Apolo,* enero de 1908, este poema tiene la siguiente transcripción: «Si la vida es amor, bendita sea! / Quiero más vida para amar! / Hoy siento / Que no valen mil años de la idea / Lo que un minuto azul del sentimiento. // Mi corazón moría triste y lento... / Hoy abre en luz como una flor febea / ; ¡La vida brota como un mar violento / Donde la mano del amor golpea! // Hoy partió hacia la noche. triste, fría / Rotas las alas mi melancolía; / Como una vieja mancha de dolor / En la sombra lejana se deslíe... / Mi vida toda canta, besa ríe / Mi vida toda es una boca en flor!»

AMOR*

Yo lo soñé impetuoso, formidable y ardiente;
Hablaba el impreciso lenguaje del torrente;
Era un mar desbordado de locura y de fuego,
Rodando por la vida como un eterno riego.

Luego soñélo triste, como un gran sol poniente
Que dobla ante la noche la cabeza de fuego;
Después rió, y en su boca tan tierna como un ruego,
Sonaba sus cristales el alma de la fuente.

_____

* Este poema tiene otras variantes que se transcriben a continuación:

      Yo lo soñé impetuoso, formidable y ardiente;
      Era abismo era ola era sol y torrente
      Era cambiante y vario pero uno y eterno
      Tenía las amarguras del alma del torrente

      Era un mar desbordado de frescura y de fuego
      Rodaba por la vida como un extraño riego
      Y hoy lo sé todo y uno [espacio en blanco] hoy que mi alma lo
                                                 [siento
      Hoy sé que tiene el alma del [espacio en blanco] y del torren-
                                                    [te
      Fuerte como una ley trémulo como un ruego
      Hoy sé que es todo y uno hoy sé que es fuerte y ciego
      Que es la sangre y el alma que es la sed y la fuente
      Y que impone y suplica pero que es fuerte y es ciego

      Luego soñélo como la bruma
      Luego un dios vivo alegre en sus labios de fuego
      Y cantaba boca tan tierna como un ruego
      Sus sueños cristalinos el alma de la fuente
      El canto cristalino del alma de la fuente
      Luego soñélo triste como un gran sol poniente
      Que doblando ante las sombras su cabeza de fuego
      Luego alegre en su boca tan tierna como un ruego
      Sonaba sus cristales el agua de la fuente

Y hoy sueño que es vibrante, y suave, y riente, y tris-
[te,
Que todas las tinieblas y todo el iris viste;
Que, frágil como un ídolo y eterno como un Dios,
Sobre la vida toda su majestad levanta:
Y el beso cae ardiendo a perfumar su planta
En una flor de fuego deshojada por dos...

Hoy sueña que es vibrante y suave y riente y triste
Que todas las tinieblas y todo el iris viste
Que frágil como un ídolo y eterno como Dios
En el templo inviolable del alma se levanta
Y el beso que abre y muere dulcemente
Como una flor de fuego deshojada en dos...

Este texto ilustra el proceso de escritura de la poeta. Esta versión pertenece al Cuaderno número 3, página sin numerar.

abrir de la
cerradura, abrir — *cambio de*
de su país *imágenes*

EL INTRUSO*

Amor, la noche estaba trágica y sollozante
Cuando tu llave de oro cantó en mi cerradura;
Luego, la puerta abierta sobre la sombra helante
Tu forma fue una mancha de luz y de blancura.

ilusión

Todo aquí lo alumbraron tus ojos de diamante;
Bebieron en mi copa tus labios de frescura,
Y descansó en mi almohada tu cabeza fragante;
Me encantó tu descaro y adoré tu locura.

Y hoy río si tú ríes, y canto si tú cantas;
Y si tú duermes, duermo como un perro a tus plantas!
Hoy llevo hasta en mi sombra tu olor de primavera;
Y tiemblo si tu mano toca la cerradura
Y bendigo la noche sollozante y oscura
Que floreció en mi vida tu boca tempranera!

---

* Transcribo la primera versión de este poema del Cuaderno número 3 por ofrecer variantes que muestran el proceso de creación del texto:

> Amor, la noche era trágica y sollozante
> Cuando tu llave de oro cantó en mi cerradura
> Luego, la puerta abierta sobre la sombra helante
> Tu forma fue una mancha de luz y de blancura
> Y todo lo alumbraron tus ojos de diamante
> Y floreció en mi vida la rosa de tu boca
> Tus ojos parecieron dos frondas de diamante
> Y floreció en la sombra tu boca de frescura
> Bebieron en mi copa tus labios de frescura
> Y durmió en mis almohadas tu cabeza fragante
> Y hoy vivo bajo el raro imperio de tu locura
> Hoy río si tú ríes y canto si tú cantas
> Y duermo si tú duermes como un perro a tus plantas
> Y tengo hasta en mi sombra tu flor de primavera
> Y tiemblo si tu mano se acerca a los cerrojos
> Y bendigo la noche que me hirieron tus ojos
> Y floreció en mi vida tu boca tempranera

LA COPA DEL AMOR*

Bebamos juntos en la copa egregia!
Raro licor se ofrenda a nuestras almas.
Abran mis rosas su frescura regia
A la sombra indeleble de tus palmas!

Tú despertaste mi alma adormecida
En la tumba silente de las horas;
A ti la primer sangre de mi vida
¡En los vasos de luz de mis auroras!

¡Ah! tu voz vino a recamar de oro
Mis lóbregos silencios; tú rompiste
El gran hilo de perlas de mi lloro,
Y al sol naciente mi horizonte abriste.

---

* Este poema ofrece las siguientes variantes en el Cuaderno III:

Bebamos juntos en la copa egregia
Tú que supiste despertar mi alma
Raro licor se ofrenda a nuestra alma.
Mi lira luce como insignia regia
A la sombra indeleble de tus palmas
Abran mis rosas su frescura regia
A tu voz vino a recamar de oro
A recamar de oro mi silencio
Mis lóbregos silencios; tú rompiste
El gran hilo de perlas de mi lloro,
Y al sol naciente mi horizonte abriste.
Por ti en mi Oriente la dorada Aurora
Abrió el temblor rosado de su tul

Como una boca en silencio llamando
Y la copa se brinca a nuestros labios
Qué precioso licor destilaría
La copa pide en su belleza labios
Su misteriosa exquisitez reclama
Dedos de ensueño y bocas de armonía
A ti primer sangre nueva de mi vida

Por ti, en mi oriente nocturnal, la aurora
Tendió el temblor rosado de su tul;
Así en las sombras de la vida ahora,
Yo te adoro el alma como un cielo azul!

¡Ah, yo me siento abrir como una rosa!
Ven a beber mis mieles soberanas:
¡Yo soy la copa del amor pomposa
Que engarzará en tus manos sobrehumanas!

La copa erige su esplendor de llama...
¡Con qué hechizo en tus manos brillaría!
Su misteriosa exquisitez reclama
Dedos de ensueño y labios de armonía.

Tómala y bebe, que la gloria dora
El idilio de luz de nuestras almas;
¡Marchítense las rosas de mi aurora
A la sombra indeleble de tus palmas!

En las copas de luz de las auroras
Tú despertaste mi alma adormecida
En la tumba silente de las horas
A ti la primer sangre de mi vida
En las copas de luz de mis auroras
La copa erige su esplendor de llama
Que inefable licor nos brindaría
Su misteriosa exquisitez reclama
Dedos de ensueño y bocas de armonía
Así en las sombras de la vida ahora
Y sobre el fango de la tierra impura
Yo te abro el alma como un cielo azul
Yo me siento abrir como una rosa
Ven a beber mis mieles sobrehumanas
¡Mi alma es la copa del amor pomposa
Que engarzará en tus manos soberanas
Tómala y bebe que la gloria dora
El idilio sin fin de nuestras almas
Marchítense las rosas de mi aurora
A la sombra indeleble de tus palmas
Yo me rendí al imperio suave de tu locura

Los siete versos que siguen están incompletos en el Cuaderno III.

170

MI AURORA

Como un gran sol naciente iluminó mi vida
Y mi alma abrió a beberlo como una flor de aurora;
Amor! Amor! bendita la noche salvadora
En que llamó a mi puerta tu manita florida.

Mi alma vibró en la sombra como arpa sorprendida
Las aguas del silencio ya abiertas, en la aurora
Cantó su voz potente misteriosa y sonora.
Mi alma lóbrega era una estrella dormida!

Hoy toda la esperanza que yo llorara muerta,
Surge a la vida alada del ave que despierta
Ebria de una alegría fuerte como el dolor;

Y todo luce y vibra, todo despierta y canta
Como si el pálido rosa de su luz viva y santa
Abriera sobre el mundo la aurora de mi amor.

DESDE LEJOS

En el silencio siento pasar hora tras hora,
Como un cortejo lento, acompasado y frío...
¡Ah! Cuando tú estás lejos mi vida toda llora
Y al rumor de tus pasos hasta en sueños sonrío.

Yo sé que volverás, que brillará otra aurora
En mi horizonte grave como un ceño sombrío;
Revivirá en mis bosques tu gran risa sonora[1]
Que los cruzaba alegre como el cristal de un río.

Un día, al encontrarnos tristes en el camino,
Yo puse entre tus manos pálidas mi destino!
¡Y nada de más grande jamás han de ofrecerte!

Mi alma es frente a tu alma como el mar frente al cielo:
Pasarán entre ellas tal la sombra de un vuelo,
La Tormenta y el Tiempo y la Vida y la Muerte!

---

[1] El texto que reproducimos es el que se publicó en *Los cálices vacíos*.
En el Cuaderno III de la poeta, este poema ofrece la siguiente variante:

Y asustará a los pájaros mi gran risa sonora
Más limpia y más alegre que el gran cristal del río!

Cantos de la mañana

PRÓLOGO DE
Pérez y Curis

1910

DELMIRA AGUSTINI

CANTOS
DE LA
MAÑANA

Prólogo de PÉREZ Y CURIS

O. M. BERTANI EDITOR
1910

Cubierta de *Cantos de la mañana*.

ADVERTENCIA

Cantos de la mañana es el segundo libro de poemas que Delmira Agustini publica en vida. El prólogo fue redactado por Manuel Pérez y Curis, director de la revista literaria *Apolo,* donde la poeta colaboró con varios textos. Algunos de estos poemas fueron corregidos por Agustini después de publicada la primera edición. Cuando Agustini publica su último libro de poemas, *Los cálices vacíos,* en 1913, incorpora a este volumen todos los poemas de *Cantos de la mañana.*

Los textos que se publican en nuestra edición corresponden a los textos de *Cantos de la mañana* que figuran en la edición de *Los cálices vacíos* de 1913.

Los cuadernos III y IV del Archivo Delmira Agustini, donde se encuentran los originales de los poemas de *Cantos de la mañana,* contienen asimismo numerosos fragmentos de poemas y algunos poemas completos que se pueden considerar aún inéditos. La única publicación que de ellos existe es la transcripción detallada de los cuadernos donde la poeta escribió los textos originales, realizada por Ofelia Machado en *Delmira Agustini* (1944), pero no se incluyeron en la edición de las *Obras completas* de 1924, ni fueron recogidos en publicaciones posteriores. En la última parte de nuestra edición aparece una selección de textos con notas aclaratorias al pie de página.

PRÓLOGO

La creadora de belleza que ha concebido estas rimas extrañas, de gracia intensa y ubérrimo colorido, es una de las figuras más gallardas y complejas de nuestra lírica actual. No es la suya un alma puramente sentimental, de esas que sufren el contagio de la ajena angustia, ni su arte fruto no más del subjetivismo que encanta y conmueve; su poesía ofrece por igual las últimas exhalaciones del alma humana y de la naturaleza, convertidas en imágenes de alto sentimiento estético. Su talento musical y su virtuosa imaginación aparecen de consuno hasta en sus más pequeñas manifestaciones de arte.

¿No percibís la frescura y el juvenil perfume que emanan de este título: «Cantos de la mañana»?

¿No os place la armonía de ese frágil heptasílabo que acusa jovialidad?

Tal delicadeza innata en la poetisa hace «pendant» con su léxico florido. Luego, la amplitud del concepto y la belleza plástica, que caracterizan a la poesía moderna y revelan al verdadero poeta, coexisten en estas estrofas donde el hábil e inquieto numen de la artista juega a la originalidad en periodos de elegante construcción, a veces mórbidos y atormentados, mas siempre ricos de fausto y sonoridad. Porque si bien Delmira Agustini gusta dotar a sus versos de una grande alma peregrina como la suya, no olvida, por eso, el encanto de la dicción ni el sortilegio del ritmo que tan bellas cosas sugiere a los espíritus contemplativos de nuestra época.

En *Cantos de la mañana,* como en *El libro blanco,* su hermano mayor que tantos lauros conquistó entre los literatos hispanoamericanos[1], hay variedad de motivos y matices. De ahí la complejidad de esta gran elegida que florece en nuestro ambiente como una orquídea en un vasto jardín inundado de rosas.

El versolibrismo de algunas de las composiciones que constituyen este opúsculo es armonioso y personal, sin caer en el abismo de la extravagancia a que están expuestos los que creen hallar en él hondos veneros de originalidad. «Las alas» y «Vida»! son creaciones que confirman ese concepto: el verso es suave y a la vez vigoroso, y su sentido profundo y original.

Los versolibristas contemporáneos se *distinguen* por sus estrofas monorrimas, sus cláusulas hiperbólicas. Y eso se explica porque el verso libre, melodizándolo, y engrandeciendo en ideas lo que la métrica y la rima restringen al pensador. Pero donde más se luce su maravillosa intuición de artista es en el dominio del soberbio alejandrino. Leed «La barca milagrosa» y «Supremo idilio», boceto este último que es todo un suntuoso poema en que impera el pensamiento y fluye la melodía fresca y jocunda como el cristal de un río. Los hemistiquios de ese poema son tan perfectos y han sido cincelados con tal primor que concretan la consagración de su autora.

Yo no encuentro entre las poetisas autóctonas de América una sola comparable a ella por su originalidad de buena cepa y por la arrogancia viril de sus cantos. Otras hay, más dadas a la poesía amatoria y madrigalesca, que me halagan el espíritu y dejan en el fondo de mi corazón una estela de dulzuras infinitas. Pero el poeta debe cantarlo todo; un paisaje, un idilio, la alegría de las mañanas primaverales saturadas de perfumes y la insondable tristeza del invierno que todo lo arropa en su velorí de

---

[1] Debo dejar constancia aquí de que dicho libro no traspuso las fronteras del país. Los juicios de escritores extranjeros insertos al fin de la presente obra son parte de los recibidos por la autora y fueron enviados espontáneamente e inspirados en algunas poesías publicadas por revistas nacionales. (Nota del prologuista.)

brumas. Y, como no ha de seguir una pauta en sus inquietas lucubraciones ni ha de ceñirse a normas preestablecidas, su emotividad y su genio creador exhiben sus desnudeces y exaltan la vida. Porque el poeta es ante todo un sublime exaltador y no un pasivo observador de las cosas.

Delmira Agustini, que ha cantado con el mismo afecto sus paisajes interiores y todo aquello de la naturaleza que ha arrancado zalemas a su espíritu soñador, ha interpretado fielmente el divino evangelio del *Poeta*. La lectura de estos cantos coleccionados precipitadamente y sin previo examen dirá al lector cuál ha sido hasta hoy la modalidad de la elocuente poetisa, ya que ella, antes de iniciar una nueva etapa literaria, ha querido dar al público, a manera de ofrenda, la última floración de su primer ciclo artístico.

¿Qué tendencia o qué credo sustentará mañana? De renovación, sin duda. Porque quien no ha ido a beber inspiración en las fuentes de los maestros no volverá a los modelos de viejos clásicos que imponen las academias, sino que traerá en sus alforjas nuevas formas y modulaciones gratas que dirán del proceso evolutivo de su arte y señalarán una nueva orientación poética.

Pérez y Curis
Montevideo, enero de 1910

FRAGMENTOS

A un poeta español

. . . .

¿De qué andaluza simiente
Brotó pomposa y ardiente
La flor de mi corazón?
Mi musa es bruna e hispana
Mi sangre es sangre gitana
En rubio vaso teutón.

Mi alma, fanal de sabios
Ciegos de luz, en sus labios
—Una chispa de arrebol—
Puede recoger el fuego
De toda la vida y luego,
Todas las llamas del Sol!

Alma que cabe en un verso
Mejor que en un universo!
—Instinto de águila real
Que engarza en ave canora,
Roja semilla de aurora
En un surco musical!—

* * *

Mi sol es tu sol ausente;
Yo soy la brasa candente
De un gran clavel de pasión
Florecido en tierra extraña;
¡Todo el fuego de tu España
Calienta mi corazón!

La plebe es ciega, inconsciente;
Tu verso caerá en su frente
Como un astro en un testuz,
Mas tiene impulsos brutales,
Y un choque de pedernales
A veces hace la luz!

DE «ELEGÍAS DULCES»*

I

Hoy desde el gran camino, bajo el sol claro y fuerte,
Muda como una lágrima he mirado hacia atrás,
Y tu voz, de muy lejos, con un olor de muerte,
Vino a aullarme al oído un triste «¡Nunca más!»

Tan triste que he llorado hasta quedar inerte...
¡Yo sé que estás tan lejos que nunca volverás!
No hay lágrimas que laven[1] los besos de la Muerte...
—Almas hermanas mías, nunca miréis atrás!

Los pasados se cierran como los ataúdes;
Al Otoño, las hojas en dorados aludes[2]
Ruedan... y arde en los troncos la nueva floración...[3].

—...Las noches son caminos negros de las auroras...—
Oyendo deshojarse tristemente las horas
Dulces, hablemos de otras flores al corazón.

---

* Publicado en la revista *Apolo* en febrero de 1908.
[1] «Que borren los besos de la Muerte» en el manuscrito original.
[2] «En Otoño, la hora de las decrepitudes» en el manuscrito original.
[3] A partir del verso 11, el poema ofrece la siguiente primera versión:

    Los árboles preparan su nueva floración;
    La Vida siempre deja un horizonte abierto:
    Vamos por la hojarasca del gran pasado muerto,
    Soñando las futuras flores del corazón.

II

Pobres lágrimas mías las que glisan[1]
A la esponja sombría del Misterio,
Sin que abra en flor como una copa cárdena
Tu dolorosa boca de sediento!

Pobre mi corazón que se desangra
Como clepsidra trágica en silencio,
Sin el milagro de inefables bálsamos
En las vendas tremantes de tus dedos!

Pobre mi älma tuya acurrucada
En el pórtico en ruinas del Recuerdo,
Esperando de espaldas a la vida
Que acaso un día retroceda el Tiempo!...

---

[1] En el manuscrito original este poema tiene la siguiente versión:
Pobres lágrimas mías las que glisan
A embelesarse en la esponja del Misterio,
Sin que abran en flor como una copa roja
Tu delirante boca de sediento!
Pobre mi corazón que se desangra
Como clepsidra trágica en silencio,
Sin el milagro de inefables bálsamos
En las vendas tremantes de tus dedos!
Pobre mi vida toda acurrucada
En el pórtico en ruinas del Recuerdo,
Mendigando un despojo de tu locura
Mendigando un harapo de tus sueños
Mendigando en la flor de mi locura
La caridad sombría de tu espectro!

LA BARCA MILAGROSA*

Preparadme una barca como un gran pensamiento...
La llamarán «La Sombra» unos, otros «La Estrella».
No ha de estar al capricho de una mano o de un vien-
[to:
Yo la quiero consciente, indominable y bella!

La moverá el gran ritmo de un corazón sangriento
De vida sobrehumana; he de sentirme en ella
Fuerte como en los brazos de Dios! En todo viento,
En todo mar templadme su prora de centella!

La cargaré de toda mi tristeza, y, sin rumbo,
Iré como la rota corola de un nelumbo,
Por sobre el horizonte líquido de la mar...

Barca, alma hermana... ¿hacia qué tierras nunca vis-
[tas,
De hondas revelaciones, de cosas imprevistas
Iremos?... Yo ya muero de vivir y soñar...

---

* Este poema fue publicado en la revista *Apolo* en febrero de
1908.

EL VAMPIRO

En el regazo de la tarde triste
Yo invoqué tu dolor... Sentirlo era
Sentirte el corazón! Palideciste
Hasta la voz, tus párpados de cera,

Bajaron... y callaste... Pareciste
Oír pasar la Muerte... Yo que abriera
Tu herida mordí en ella —¿me sentiste?—
Como en el oro de un panal mordiera!

Y exprimí más, traidora, dulcemente
Tu corazón herido mortalmente,
Por la cruel daga rara y exquisita
De un mal sin nombre, hasta sangrarlo en llanto!
Y las mil bocas de mi sed maldita
Tendí a esa fuente abierta en tu quebranto.

. . . .

¿Por qué fui tu vampiro de amargura?
¿Soy flor o estirpe de una especie oscura
Que come llagas y que bebe el llanto?

SUPREMO IDILIO*

(Boceto de un poema)

En el balcón romántico de un castillo adormido
Que los ojos suspensos de la noche adiamantan,
Una figura blanca hasta la luz... Erguido
Bajo el balcón romántico del castillo adormido,
Un cuerpo tenebroso... Alternándose cantan.

—¡Oh tú, flor augural de una estirpe suprema
Que duplica los pétalos sensitivos del alma,
Nata de azules sangres, aurisolar diadema
Florecida en las sienes de la Raza!... Suprema-
Mente pulso en la noche tu corazón en calma!

—¡Oh tú que surges pálido de un gran fondo de enig-
[ma,
Como el retrato incógnito de una tela remota!...
Tu sello puede ser un blasón o un estigma;
En las aguas cambiantes de tus ojos de enigma
Un corazón herido —y acaso muerto— flota!

—Los ojos son la Carne y son el Alma: mira!
Yo soy la <u>Aristocracia lívida del Dolor</u>
Que <u>forja los puñales, las cruces y las liras</u>,
Que en las llagas sonríe y en los labios suspira...
Satán pudiera ser mi semilla o mi flor!

Soy fruto de aspereza y maldición: yo amargo
Y mancho mortalmente el labio que me toca;

---

* Este poema ofrece numerosísimas variaciones y correcciones. La versión que aparece arriba es la que la poeta decidió publicar en la sección titulada «Cantos de la mañana» de *Los cálices vacíos*.

187

Mi beso es flor sombría de un Otoño muy largo...
Exprimido en tus labios dará un sabor amargo,
Y todo el Mal del Mundo florecerá en tu boca!

Bajo la aurora fúlgida de tu ilusión, mi vida
Extenderá las ruinas de un apagado Averno;
Vengo como el vampiro de una noche aterida
A embriagarme en tu sangre nueva: llego a tu vida
Derramada en capullos, como un ceñudo Invierno!

—Como en pétalos flojos yo desmayo a tu hechizo!...
Traga siniestro buitre mi pobre corazón!
En tus manos mi espíritu es dúctil como un rizo...
El corazón me lleva a tu siniestro hechizo
Como el barco inconsciente el ala del timón!

Comulga con mi cuerpo devoradora sima!
Mi alma clavo en tu alma con una estrella de oro;
Florecerá tu frente como una tierra opima,
Cuando en tu almohada trágica y honda como una
[sima,
Mis rizos se derramen como una fuente de oro!

—Mi älma es negra tumba, fría como la Nieve...
—Buscaré una rendija para filtrarme en luz!
—Albo lirio! ...A tocarte ni mi sombra se atreve...
—Te abro; ¡oh mancha de lodo! mi gran cáliz de nie-
[ve
Y tiendo a ti eucarísticos mis brazos, negra cruz!

Enróscate; ¡oh serpiente caída de mi Estrella
Sombría a mi ardoroso tronco primaveral!...
Yo apagaré tu Noche o me incrustaré en ella:
Seré en tus cielos negros el fanal de una estrella
Seré en tus mares turbios la estrella de un fanal!

Sé mi bien o mi mal, yo viviré en tu vida!
Yo enlazo a tus espinas mi hiedra de ilusión...
Seré en ti una paloma que en una ruina anida;

Soy blanca, y dulce, y leve; llévame por la Vida
Prendida como un lirio sobre tu corazón!

—¡Oh dulce, dulce lirio!... Llave de las alburas!
Tú has abierto la sala blanca en mi alma sombría,
La sala en que silentes las ilusiones puras
En dorados sitiales, tejen mallas de alburas!...
—Tu alma se vuelve blanca, porque va siendo mía!

—¡Oh leyes del Milagro!... yo, hijo de la sombra
Morder tu carne; ¡oh fruto de los soles!
—Soy tuya fatalmente: mi silencio te nombra,
Y si la tocas tiembla como un alma mi sombra!—,
¡Oh maga flor del Oro brotada en mis crisoles!

—Los surcos azurados del Ensueño sembremos
De alguna palpitante simiente inconcebida
Que arda en florecimientos imprevistos y extremos;
Y al amparo inefable de los cielos sembremos
De besos extrahumanos las cumbres de la Vida!

Amor es milagroso, invencible y eterno;
La vida formidable florece entre sus labios...
Raíz nutrida de la entraña del Cielo y del Averno,
Viene a dar a la tierra el fuerte fruto eterno
Cuyo sangriento zumo se bebe a cuatro labios!

Amor es todo el Bien y todo el mal, el Cielo
Todo es la arcada ardiente de sus alas cernidas...
Bajar de un plinto vano es remontar el vuelo...
Y Él te impulsa a mis brazos abiertos como el Cielo
¡Oh suma flor con alma, a deshojar en vidas!...

* * *

En el balcón romántico de un castillo adormido
Que los ojos suspensos en la Noche adiamantan,
El Silencio y la Sombra se acarician sin ruido...
Bajo el balcón romántico del castillo adormido
Un fuerte claro-oscuro y dos voces que cantan...

. . . . *

La intensa realidad de un sueño lúgubre
Puso en mis manos tu cabeza muerta;
Yo la apresaba como hambriento buitre...
Y con más alma que en la Vida, trémula,
La sonreía como nadie nunca!...
¡Era tan mía cuando estaba muerta!

Hoy la he visto en la Vida, bella, impávida
Como un triunfo estatuario, tu cabeza!
Más frío me dio así que en el idilio
Fúnebre aquel, al estrecharla muerta...
¡Y así la lloro hasta agotar mi vida...
Así tan viva cuanto me es ajena!

---

* Este poema sin título fue omitido de la primera edición de *Cantos de la mañana* y del índice de la edición de *Los cálices vacíos,* en el que se lo incluyó, que es la versión que transcribimos. Es un poema diferente del anterior, «Supremo idilio», con el cual parece haber sido confundido.

190

A UNA CRUZ
ex voto

Cruz que ofrendando tu infinito abrazo
Cabe la silenciosa carretera,
Pareces bendecir la tierra entera
Y atarla al cielo como un férreo lazo!...

Puerto de luz abierto al peregrino
A la orilla del pálido camino!...
Vibre en el Tiempo la sagrada hora
Que a tu lado viví, cuando el gran broche
De nácar de la luna abrió una noche
Que pareció una aurora!...

La luna alzaba dulce, dulcemente
El velo blanco, blanco y transparente
De prometida del Misterio; el Cielo
Estaba vivo como un alma!... el velo,
El velo blanco y temblador crecía
Como una blanca y tembladora nata...
Y la tierra inefable parecía
Un sueño enorme de color de plata!
Fue un abismo de luz cada segundo,
El límpido silencio se creería
La voz de Dios que se explicara al Mundo!

* * *

Como cayó en tus brazos mi alma herida
Por todo el Mal y todo el Bien: mi alma
Un fruto milagroso de la Vida
Forjado a sol y madurado en sombra,
Acogíase a ti como a una palma
De luz en el desierto de la Sombra!...

Y la Armonía fiel que en mí murmura
Como una extraña arteria, rompió en canto,
Y del mármol hostil de mi escultura
Brotó un sereno manantial de llanto!...

Así lloré el dolor de las heridas
Y la embriaguez opiada de las rosas...
Arraigábanse en mí todas las vidas,
Reflejábanse en mí todas las cosas!...

Y a ese primer llanto: mi alma, una
Suprema estatua, triste sin dolor,
Se alzó en la nieve tibia de la Luna
Como una planta en su primera flor!

expresan algo + allá de lengg y man y lengg

dijo clásico de la mística

LO INEFABLE*

Yo muero extrañamente... No me mata la Vida,
No me mata la Muerte, no me mata el Amor;
Muero de un pensamiento mudo como una herida...
¿No habéis sentido nunca el extraño dolor

De un pensamiento inmenso que se arraiga en la
[vida
Devorando alma y carne, y no alcanza a dar flor?
¿Nunca llevasteis dentro una estrella dormida
Que os abrasaba enteros y no daba un fulgor?...

---

* Este poema tiene las siguientes variaciones registradas en el Cuaderno III del Archivo D.A.:

PRIMERA VERSIÓN

Mío, mi alma está triste, triste como la Vida,
Triste como la Muerte. Es raro mi dolor.
Como a una rosa riega las bocas a mi herida
como una loca flor.
Es el dolor de un sueño que corta como una herida.
¡Ah! No sentiste nunca un extraño dolor
De un pensamiento inmenso que germina en la vida
Toda con sus raíces y no alcanza a dar flor?

No sentiste las ansias de ahondar la horrible herida
Ebria de la grandeza loca de su dolor?

Yo rugiente, anhelante, los dientes apretados,
De los nervios, del pecho, con los dedos crispados,
Quiero, quiero arrancarlo y la angustia es atroz.

Pero vencer un día... La sola idea expande
La vida toda, toda!... Ah no fuera más grande
Tener entre las manos la cabeza de Dios.

193

Cumbre de los Martirios!... Llevar eternamente,
Desgarradora y árida, la trágica simiente
Clavada en las entrañas como un diente feroz!...

Pero arrancarla un día en una flor que abriera
Milagrosa, inviolable!... Ah, más grande no fuera
Tener entre las manos la cabeza de Dios!

lógica mala — máxima expresión

SEGUNDA VERSIÓN

Oíd, mi alma está triste, triste como la Vida,
Triste como la Muerte, triste como el Amor.
Parece que sonríen los labios de mi herida.

Yo muero de un sueño mudo como una herida.
Ah! No sentiste nunca un extraño dolor
De un pensamiento inmenso que germina en la vida
Devorando alma y carne y no alcanza a dar flor?

No os crispaban las ansias de ahondar la horrible herida
Ebria de la grandeza loca de su dolor?

Yo rugiente, anhelante, los dientes apretados,
De la frente, del pecho, con los dedos crispados,
Quiero, quiero arrancarlo y la angustia es atroz.

De descuajarlo un día como una flor que expande
Milagrosa, impoluta... Ah no fuera más grande
Sentir entre los dedos la cabeza de Dios.

194

. . . .*

La noche entró en la sala adormecida
Arrastrando el silencio a pasos lentos...
Los sueños son tan quedos que una herida
Sangrar se oiría. Rueda en los momentos

Una palabra insólita, caída
Como una hoja de Otoño... Pensamientos
Suaves tocan mi frente dolorida,
Tal manos frescas, ah... ¿por qué tormentos

Misteriosos los rostros palidecen
Dulcemente?... Tus ojos me parecen
Dos semillas de luz entre la sombra,

Y hay en mi alma un gran florecimiento
Si en mí los fijas; si los bajas, siento
Como si fuera a florecer la alfombra!

---

* Este poema se publicó en *Bohemia* en octubre de 1908. En algunas ediciones se ha considerado que este texto era parte del poema «Lo inefable».

LAS CORONAS

...¿Un ensueño entrañable?... ¿Un recuerdo profundo?...
¡Fue un momento supremo a las puertas del Mundo!

El Destino me dijo maravillosamente:
—Tus sienes son dos vivos engastes soberanos:
elige una corona, todas van a tu frente!—
Y yo las vi brotar de las fecundas manos,

floridas y gloriosas, trágicas y brillantes!
Más fría que el marmóreo cadáver de una estatua,
miré rodar espinas, y flores, y diamantes,
como el bagaje espléndido de una Quimera fatua.

Luego fue un haz luciente de doradas estrellas;
—Toma! —dijo— son besos del Milagro, entre ellas
Florecerán tus sienes como dos tierras cálidas!...

...tal pupilas que mueren, se apagaron rodando...
Yo me interné en la Vida, dulcemente, soñando
hundir mis sienes fértiles entre tus manos pálidas!...

¡VIDA!

A ti vengo en mis horas de sed como a una fuente
Límpida, fresca, mansa, colosal...
Y las punzantes sierpes de fuego mueren siempre
En la corriente blanda y poderosa.

Vengo a ti en mi cansancio, como al umbroso bos-
                                                    [que
En cuyos terciopelos profundos la Fatiga
Se duerme dulcemente, con música de brisas,
De pájaros y aguas...
Y del umbroso bosque salgo siempre radiante
Y despierta como un amanecer.

Vengo a ti en mis heridas, como al vaso de bálsa-
                                                    [mos
En que el Dolor se embriaga hasta morir de olvido...
Y llevo
Selladas mis heridas como las bocas muertas,
Y por tus buenas manos vendadas de delicias.

Cuando el frío me ciñe doloroso sudario,
Lívido vengo a ti,
Como al rincón dorado del hogar,
Como al Hogar universal del Sol!...
Y vuelvo toda en rosas como una primavera,
Arropada en tu fuego.

A ti vengo en mi orgullo,
Como a la torre dúctil
Como a la torre única
Que me izará sobre las cosas todas!
Sobre la cumbre misma,
Arriscada y creciente,
De mi eterno Capricho!

Para mi vida hambrienta,

Eres la presa única,
Eres la presa eterna!
El olor de tu sangre,
El color de tu sangre
Flamean en los picos ávidos de mis águilas.

Vengo a ti en mi deseo,
Como en mil devorantes abismos, toda abierta
El alma incontenible...
Y me lo ofreces todo!...
Los mares misteriosos florecidos en mundos,
Los cielos misteriosos florecidos en astros,
Los astros y los mundos!
...Y las constelaciones de espíritus suspensas
Entre mundos y astros...
...Y los sueños que viven más allá de los astros,
Más acá de los mundos...

¿Cómo dejarte —¡Vida!—
Cómo salir del dulce corazón
Hospitalario y pródigo,
Como una patria fértil?...
Si para mí la tierra,
Si para mí el espacio,
¡Todos! son los que abarca
El horizonte puro de tus brazos!...
Si para mí tu más allá es la Muerte,
Sencillamente, prodigiosamente!...

LAS ALAS

. . . .

Yo tenía...

Dos alas,
Que del Azur vivían como dos siderales
Raíces!...
Dos alas,
Con todos los milagros de la vida, la Muerte
Y la ilusión. Dos alas, .
Fulmíneas
Como el velamen de una estrella en fuga;
Dos alas,
Como dos firmamentos
Con tormentas, con calmas y con astros...

¿Te acuerdas de la gloria de mis alas?...
El áureo campaneo
Del ritmo; el inefable
Matiz atesorando
El Iris todo, mas un Iris nuevo
Ofuscante y divino,
Que adorarán las plenas pupilas del Futuro
(Las pupilas maduras a toda luz!...) el vuelo...
El vuelo ardiente, devorante y único,
Que largo tiempo atormentó los cielos,
Despertó soles, bólidos, tormentas,
Abrillantó los rayos y los astros;
Y la amplitud: tenían
Calor y sombra para todo el Mundo,
Y hasta incubar un *más allá* pudieron.

199

Un día, raramente
Desmayada a la tierra,
Yo me adormí en las felpas profundas de este bos-
[que...

Soñé divinas cosas!...
Una sonrisa tuya me despertó, paréceme...
Y no siento mis alas!...
Mis alas?...

—Yo las *vi* deshacerse entre mis brazos...
¡Era como un deshielo!

UN ALMA

Bajo los grandes cielos
Afelpados de sombras o dorados de soles,
Arropada en el manto
Pálido y torrencial de mi melancolía,
Con un astral indiferencia miro
Pasar las intemperies...

Ceños
De los reconcentrados horizontes;
Aletazos de fuego del relámpago;
Deshielos de las nubes;
Fantásticos tropeles
Desmelenados de los huracanes;
Pórticos esmaltados de los iris,
Abiertos a las fúlgidas bonanzas;
Pasad!... Yo miro indiferente y fija,
Indiferente y fija como un astro!

EL NUDO

Su idilio fue una larga sonrisa a cuatro labios...
En el regazo cálido de rubia primavera
Amáronse talmente que entre sus dedos sabios
Palpitó la divina forma de la Quimera.

En los palacios fúlgidos de las tardes en calma
Hablábanse un lenguaje sentido como un lloro,
Y se besaban hondo hasta morderse el alma!...
Las horas deshojáronse como flores de oro,

Y el Destino interpuso sus dos manos heladas...
¡Ah! los cuerpos cedieron, mas las almas trenzadas
Son el más intrincado nudo que nunca fue...
En lucha con sus locos enredos sobrehumanos
Las Furias de la vida se rompieron las manos
Y fatigó sus dedos supremos Ananké...

FUE AL PASAR

Yo creí que tus ojos anegaban el mundo...
Abiertos como bocas en clamor... Tan dolientes
Que un corazón partido en dos trozos ardientes
Parecieron... Fluían de tu rostro profundo

Como dos manantiales graves y venenosos...
Fraguas a fuego y sombra tus pupilas!... tan hondas
Que no sé desde dónde me miraban, redondas
Y oscuras como mundos lontanos y medrosos.

¡Ah, tus ojos tristísimos como dos galerías
Abiertas al Poniente!.. Y las sendas sombrías
De tus ojeras donde reconocí mis rastros!...

Yo envolví en un gran gesto de horror como en un
[velo,
Y me alejé creyendo que cuajaba en el cielo
La medianoche húmeda de tu mirar sin astros!

TÚ DORMÍAS

Engastada en mis manos fulguraba
como extraña presea, tu cabeza;
yo la ideaba estuches, y preciaba
luz a luz, sombra a sombra su belleza.

En tus ojos tal vez se concentraba
la vida, como un filtro de tristeza
en dos vasos profundos... Yo soñaba
que era una flor de mármol tu cabeza...

Cuando en tu frente nacarada a luna,
como un monstruo en la paz de una laguna,
surgió un enorme ensueño taciturno...

¡Ah! tu cabeza me asustó... Fluía
de ella una ignota vida... Parecía
no sé qué mundo anónimo y nocturno...

PRIMAVERA

¡Oh despertar glorioso de mi lira
Transfigurada, poderosa, libre
Con los brazos abiertos tal dos alas
Fúlgidas apuntadas al futuro!
¡Oh despertar glorioso de mi lira
Como un sol nuevo sobre un nuevo mundo!

No más soñar en afelpados bosques;
No más soñar sobre acolchadas playas!...
Reconcentren sus sombras los abismos;
Empínense soberbias las montañas;
Limpien los lagos sus espejos vivos;
El mar con voz, espumas, olas nuevas
Misterio de sirenas ignoradas;
Los labios de otras flores más brillantes
Rían a otros picos y otras alas;
En los vergeles estelares ardan
Otras maravillosas florescencias,
Oscurezca el dolor sus alas negras;
Agucen sus aceros las tormentas;
Todo el amor del Mundo reflorezca
En palpitantes cármenes humanos;
Al resplandor de incendio del Orgullo
Ciña el hada hombría de la Tierra
El tesoro fecundo de sus joyas!

Los brazos de mi lira se han abierto
Sobre una melodiosa primavera
Que encantará las cosas más lejanas,
Las más inaccesibles, las más áridas!

Mi lira era un capullo; sus dos brazos
Abrieron armoniosos como pétalos

De una animada flor maravillosa
Dorada a sol y electrizada a luna!

Los brazos de mi lira se han abierto
Puros y ardientes como el fuego; ebrios
Del ansia visionaria de un abrazo
Tan grande, tan potente, tan amante
Que haga besarse el fango con los astros...
Y otras cosas más bajas y sombrías
Con otras más brillantes y más altas!...

¡Oh! mi lira de brazos como pétalos
¡Flor la más rara de esta primavera!

LOS RELICARIOS DULCES

Hace tiempo, algún alma ya borrada fue mía...
Se nutrió de mi sombra... Siempre que yo quería
El abanico de oro de su risa se abría,

O su llanto sangraba una corriente más;

Alma que yo ondulaba tal una cabellera
Derramada en mis manos... Flor del fuego y la cera...
Murió de una tristeza mía... Tan dúctil era,

Tan fiel, que a veces dudo si pudo ser jamás...

POEMAS

El Diamante

Hoy, en una mano burda, instintiva, deforme, he visto el diamante más bello que pueda encender el Milagro... Parecía vivo y doloroso como un espíritu desolado... Vi fluir de su luz una sombra tan triste, que he llorado por él y por todos los bellos diamantes extraviados en manos deformes...

El Raudal

A veces, cuando el amado y yo soñamos en silencio, —un silencio agudo y profundo como el acecho de un sonido insólito y misterioso— siento como si su alma y la mía corrieran lejanamente, por yo no sé qué tierras nunca vistas, en un raudal potente y rumoroso...

Los Retratos

Si os asomarais a mi alma como a una estancia profunda, veríais cuánto la entenebrece e ilumina la intrincada galería de los Desconocidos... Figuras incógnitas que, acaso, una sola vez en la vida pasaron por mi lado sin mirarme, y están fijas allá dentro como clavadas con astros...

OPINIONES SOBRE LA POETISA

Señorita Delmira Agustini:

Distinguida compañera:

He leído con sumo placer sus bellas poesías. Es usted uno de los temperamentos más fuertemente femeninos de la moderna literatura castellana.

Actualmente no conozco ninguna personalidad femenina que pueda igualarle.

Le ruego me envíe su libro y un original para mi Revista *Renacimiento Latino,* que aparecerá en Junio. Adjuntos van, por conducto de Pérez y Curtis, mis dos últimos libros.

Felicitándole sinceramente, queda suyo, otro admirador.

Francisco Villaespesa

...Creo que es usted una eximia, una admirable poetisa, y que sus versos son por lo general magníficos.

. . . .

Tiene usted a su disposición todos los diarios, pues todos se disputarán el honor de complacerla, y con razón, porque es usted una de nuestras figuras literarias más sobresalientes y simpáticas, y todo lo que a Ud. concierne despierta intenso interés en los lectores.

Entusiasta admirador suyo me repito.

Samuel Blixen

Señorita Delmira Agustini.

Poetisa centellante:

He sido presa de la dicha de agasajar los sueños que han volado de sus páginas aplanando sus alas de mariposas de terciopelo en las corolas balanceantes de los íntimos jardines...

Admiro tanto como la gracia de sus libélulas que han traído a mis labios la miel de su corazón y la ufanía en que me ha precipitado el gesto de guirnalda armónica con mis suspirados momentos, reído un polvo de oro emblemático; admiro tanto como su luz, su miel y su color, la fluidez de la Poetisa que aparece en el Pórtico, la sien alumbrada por el Verbo; la mirada cegada por la divina alucinación interior, por el andar en su espíritu de los Cielos; la trencha suavemente olvidada en las esfumaduras de un ritmo vago, de una contemplación etérea de un arcano sentimental, con una unción y una blandura de ala; admiro tanto como su luz, como su miel de musicales amores, la rosa, enseña de su deleitoso afán, de la vida gentil que es toda ella «como una boca en flor»; más que prendida, desprendida, pronta a exhalarse como su propio perfume, con no sé qué vuelco alado en sus pétalos, tejida así por el capricho de un despertar en el regazo de las tibiezas moduladores: dejad caer, homenaje de un Ensueño, a la Iniciada vehemente!

Yo percibo a la hija de Calíope así rendida a los altos mirajes; ceñida por los presentidos mirtos que de la propia sien han brotado; llevando, como huella, la clámide desplegada; con la visión extática, llamada por un aroma extremo de la idealidad invisible, su belleza enternecida, ablandada por el óleo de los ritmos, siendo su curva la curva de sus Cantos, conteniendo sus manos la Lira como el corazón de la Esperanza; ¡Yo la percibo así insurgiendo bajo los pórticos religiosamente bellos de la trémula Atenas, frente a la ebriedad de las horas, bajo el nimbo de las serenidades extrañas, oprimiendo con el sosiego de la flauta insensible la fidelidad de la tierra!...

ROBERTO DE LAS CARRERAS

Si hubiera de apreciar con criterio relativo, teniendo en cuenta su edad, etc. diría que su libro es simplemente «un milagro»... No debiera ser capaz, no precisamente de escribir, sino de «entender» su libro. Cómo ha llegado usted, sea a saber, sea a sentir lo que ha puesto en ciertas poesías suyas como «Por campos de ensueño», «La sed» (!), «La estatua» (!!), «La siembra», «Mis ídolos» (!), o en un soneto absolutamente sorprendente que está sin título, en la página 41, es algo completamente inexplicable.

. . . .

Entre los caracteres sorprendentes de su libro, tal vez lo sea más que todo, éste: «que usted no imita en absoluto».

Quizá como lo hace naturalmente no sepa usted misma lo que significa no imitar a nada ni a nadie en un primer libro: puede medirlo pensando que hasta escritores de la fuerza y altura de Rubén Darío empezaron por ser y durante no muy corto tiempo, imitadores.

. . . .

Su poesía está pensada y sentida «en profundidad», lo que es un poco difícil de explicar: hay un tipo de Arte cuyas manifestaciones, que pueden por lo demás ser bellísimas, se agotan en la primera percepción; y otro tipo de arte que se puede ahondar.

La poesía de Ud. tiene en un grado excepcional esta cualidad, y, en las sucesivas lecturas se va enriqueciendo con una armonía de resonancias intelectuales y afectivas. Siempre he creído que éste es el tipo más elevado de arte.

. . . .

Y, sobre todo, es impresionante la insustituibilidad de sus poesías; quiero decir, que el lector está seguro de que ningún otro, puesto en la misma situación de escuela y de momento, las hubiera escrito en lugar de Ud.

CARLOS VAZ FERREIRA

...Sus versos porque son sentidos, porque son sinceros, porque son personales, traducen el ritmo de su alma rica de emoción y armonía. Los cisnes de un lago poético son verdaderos. Una deidad benigna le ha hecho a Ud. el inapreciable don de ponerle en el oído una «infalible conciencia» dándole además la ciencia encantada del objetivo y la imagen.

CARLOS REYLES

...Estilista gloriosa, alma de Ensueño y belleza; blanco alaje de la musa nacional...

GUZMÁN PAPINI Y ZÁS

...Sus poesías son hondas y sugestivas como pocas, plenas de murmullos o de gritos, ora supliquen, ora canten, ora pregonen rebeldías. Porque esta panida sensitiva es también una pensadora original y una apasionada expositora de ideas nuevas.

FRANCISCO A. SCHINCA

He leído su libro con deleitosa fruición. He encontrado en todas las estrofas esa vigorosidad, esa musicalización del sentimiento y ese ajuste hermético y maravilloso de los grandes maestros de la orfebrería moderna.

Su modalidad es original, nueva, poderosamente personalísima.

Más sentimiento que Darío, más originalidad que Nervo, y más alma que Lugones. Personalísima.

. . . .

Porque Ud. (crea en la honradez de mis manifestaciones) ha marcado un nuevo rumbo en la literatura moderna y que los veinte pueblos de América prorrumpan en un aplauso unánime y atronador, que repercutirá sonoramente allende el Océano, saludando a su más grande, a su más cerebral y valiente poetisa.

OVIDIO FERNÁNDEZ RÍOS

De las poetisas uruguayas es la más joven, quizá sea también la más espiritual.

MANUEL MEDINA BETANCORT

Dice Ud. las cosas en una forma tan rara pero tan linda, que uno siente profundo bienestar al escucharlas.

RICARDO SÁNCHEZ

Sus poesías, de un estilo sereno y pulcro, lleno de giros gallardos y de exquisitas cadencias, se caracterizan principalmente por la altura de sus ideas originales. Cante una puesta de sol, un claro de luna o una plegaria íntima, la poetisa emociona siempre y dice las cosas de tan singular manera, con tal gracia y armonía, que el espíritu encuentra en ellas trasuntos de nuevos goces.

. . . .

Como la condesa de Noailles; la poetisa laureada, que es una maga del Panteísmo, feliz en la evocación, fiel en la pintura de los paisajes que deslumbran a sus ojos y estremecen sus órganos sensorios, la autora de *El libro blanco,* magnífica y dilecta en la elección del ritmo, elocuente en la expresión de sus mirajes divinos, tiene también caudales vuelos imaginativos y una gran fuerza pensante que le ponen a cubierto de todo preconcepto indefinido.

PÉREZ Y CURIS

La poetisa es moderna. Tiene una armonía propia y un tecnicismo que no es suyo. Es la técnica maestra de Amado Nervo, de Darío y de Lugones.

De todos los maestros americanos en el difícil arte de expresar lo bello de manera bella, Delmira Agustini es una novicia, se puede afirmar. Una novicia con vuelos magistrales. Una discípula que aventajará a los maestros.

Si nos fuésemos a detener en las producciones que componen *El libro blanco,* sería para admirar algo en cada una de ellas. Todas, salvo excepciones rarísimas, nos encantan. Con especilialidad una. Título «Mis ídolos». Es una bella página. «Mis ídolos» solamente, componen un libro...

NATALIO BOTANA

...Se merece públicos himnos de alabanza quien de tan honda manera siente y expresa la Belleza.

LUIS SCARZOLO TRAVIESO

...Eres —¡oh! ¡seguramente!— el espíritu de mujer más inconforme y más elevado que mira sobre la tierra de los vivos.

...En ellas está tu estrofa, que es la más alta, la más serena reflexión de tu alma, de tu enorme alma.

ANDRÉS CESTENA
Colombia

La poesía es la nota más delicada que ha podido inventar el cerebro humano para expresar con palabras el sentimiento: pero cuando se encarna en una sacerdotisa joven, bella, e inspirada, no hay horizontes que la limiten ni alma que se cierre, empedernida a sus efluvios.

Dulce poetisa de mi tierra, sigue cantando, sigue desgranando perlas y encadenando corazones. Tu misión está llena de alegrías íntimas y de inefables consuelos.

Sigue cantando...

José G. del Busto
Buenos Aires, noviembre 4 de 1903

...Las poesías de Delmira Agustini, constituyen un hallazgo originalísimo en nuestro ambiente literario.

Basta leer las primeras estrofas del libro, para darse cuenta de que estamos frente a un temperamento exquisito que sabe aprisionar sensaciones e ideas dentro de la euritmia del verso fluido, elegante, escultural, galano. Ya en los primeros sonetos, y sobre todo, en los alejandrinos —ágiles como los de Darío, sin anticuadas tiesuras en los hemistiquios— después observándose la explosión de sentimiento ingenuo en lucha con la idea pujante, que investiga el secreto de todos los encantos.

Ismael Cortinas

...Todo le augura el camino triunfal de una Ada Negri americana.

Francisco Aratta

Hallo en *El libro blanco* tanta riqueza de expresión, de imaginación y de sentimiento; es el vuestro un estilo donde se adunan tan armoniosamente la Poesía y el Verso, que deseo hacer, siquiera una vez, la apoteosis del Pensamiento en sus relaciones con la Forma.

Santín C. Rossi

Usted, señorita Agustini, ha hecho obra de arte, porque usted sabe emocionar. Su libro, diré mejor, su precioso joyel de perlas y gemas raras, tiene aquella condición.

Pío Durbal Salarí

Loada sea la joven poetisa Delmira Agustini que sonriendo «muy bondadosamente» a la abuela métrica proclama las excelencias del verso libre, haciendo poesía bella y nueva, desbordante de sana inspiración y esmaltada de un lenguaje preciso, elegante y sutil.

Alabada sea entre todas las mujeres la que vibrante siempre de esperanza y de fe, pulsa en la gran lira del Arte, desde la primer cuerda «de luz en que desgrana sus carcajadas Extravagancia».

José G. Antuña

La joven poetisa podía haber escrito en la portada de su «Libro Blanco» el dístico de Lord Byron: «My heart is my poesy»; mi corazón es mi poesía; porque, en efecto, sus inspiradas composiciones son como raudales de sentimiento, que en alas de cóndor lleva su numen a las regiones ideales creadas por su vigorosa fantasía.

A. Magdaleno
La Tribuna Popular

Hemos sido obsequiados por la señorita Delmira Agustini con un ejemplar de un hermoso libro de poesía recientemente publicado bajo el título de *El libro blanco*.
. . . .
Dicho libro, por la originalidad y delicadeza del concepto, por el giro elegante de la forma y sobre todo por la sinceridad y por la brillante inspiración que predomina en todo él, hace que aplaudamos sin reservas a su joven

autora que más que como una promesa, se nos presenta, en su debut literario, como una triunfante revelación.

Confesamos, con toda sinceridad, que creemos que esta nueva obra viene a enriquecer valiosamente, no sólo nuestra literatura, sino la de la fecunda América.

El Bien

. . . .

Delmira Agustini.

Así se llama la última irradiación poética femenil. La nueva hija de Mnemosina.

Aprended a adorarla. Es muy joven.

Como los canarios y los jilgueros, ensaya sus trinos arrulladores, cuando apenas le han florecido las alas. Nació enferma de amor y de belleza.

Por eso canta, hasta exhalar el alma en una queja. Es una promesa de eternidad. Apolo la hubiera inmortalizado.

Sus versos de una fluidez armoniosa y vibrante, dignos de Mallarmé, viven la idealidad de un éxtasis de gloria. Han hecho brotar en mi corazón, una fuente de Siloé.

Yo ahora, quisiera convertirme en un Jordán, para que sus olas, vertiéndose sobre su cuerpo, le dieran la Vida Eterna.

Madame Pompadour
El Diario Español

...*El libro blanco,* cofre que encierra riquísimos joyeles...

...La delicada orfebre, sabe romper el sugestivo capullo de la forma y remontarse serena en la atmósfera celeste...

Juan Pablo Lavagnini

El libro blanco e a mais preciosa lembrança que llevo de Montevideo.

Barros Leite
(Brasil)

LOS CALICES
VACIOS - DELMIRA
AGUSTINI - PORTICO
DE RUBEN DARIO.

-O. M. BERTANI-EDITOR-
MONTEVIDEO-

Los cálices vacíos

(POESÍAS)
1913

ADVERTENCIA

El comentario que precede a este libro de poemas es un fragmento de una página de Rubén Darío sobre Delmira Agustini al que ésta le asignó el título sugestivo de «Pórtico» para un volumen que recoge tres grupos de textos: 1) los textos que conforman «Los cálices vacíos» propiamente dicho; 2) todos los poemas del libro *Cantos de la mañana* de 1910; 3) veintinueve poemas de *El libro blanco* de 1907.

El texto que sigue al «Pórtico» es un poema en francés de la autora, sin título.

Los poemas que se incluyen en nuestra edición de *Los cálices vacíos* son los poemas correspondientes a la sección titulada «Los cálices vacíos». Los otros textos que conforman la publicación de 1913 aparecen en las partes correspondientes a dichos poemarios.

Reproducimos fielmente en esta edición los textos de la edición de 1913 supervisada por la poeta sin añadir variantes, edición que carece de correcciones posteriores a su publicación.

PÓRTICO

De todas cuantas mujeres hoy escriben en verso ninguna ha impresionado mi ánimo como Delmira Agustini, por su alma sin velos y su corazón de flor. A veces rosa por lo sonrosado, a veces lirio por lo blanco. Y es la primera vez que en lengua castellana aparece un alma femenina en el orgullo de la verdad de su inocencia y de su amor, à no ser Santa Teresa en su exaltación divina. Si esta niña bella continúa en la lírica revelación de su espíritu como hasta ahora, va a asombrar a nuestro mundo de lengua española. Sinceridad, encanto y fantasía, he allí las cualidades de esta deliciosa musa. Cambiando la frase de Shakespeare, podría decirse «that is a woman», pues por ser muy mujer, dice cosas exquisitas que nunca se han dicho. Sean con ella la gloria, el amor y la felicidad.

RUBÉN DARÍO

Debout sur mon orgueil je veux montrer au soir
L'envers de mon manteau endeuillé de tes charmes,
Son mouchoir infini, son mouchoir noir et noir
Trait à trait, doucement, boira toutes mes larmes.

Il donne des lys blancs à mes roses de flamme
Et des bandeaux de calme à mon front délirant...
Que le soir sera bon... Il aura pour moi l'âme
Claire et les corps profond d'un magnifique amant.

OFRENDANDO EL LIBRO

A Eros

Porque haces tu can de la leona
Más fuerte de la Vida, y la aprisiona
La cadena de rosas de tu brazo.

Porque tu cuerpo es la raíz, el lazo
Esencial de los troncos discordantes
Del placer y el dolor, plantas gigantes.

Porque emerge en tu mano bella y fuerte,
Como en broche de místicos diamantes
El más embriagador lis de la Muerte.

Porque sobre el Espacio te diviso,
Puente de luz, perfume y melodía,
Comunicando infierno y paraíso.

—Con alma fúlgida y carne sombría...

NOCTURNO

Fuera, la noche en veste de tragedia solloza
Como una enorme viuda pegada a mis cristales.

Mi cuarto:...
Por un bello milagro de la luz y del fuego
Mi cuarto es una gruta de oro y gemas raras:
Tienen un musgo tan suave, tan hondo de tapices,
Y es tan vívida y cálida, tan dulce que me creo
Dentro de un corazón...

Mi lecho que está en blanco, es blanco y vaporoso
Como flor de inocencia,
Como espuma de vicio!
Esta noche hace insomnio;
Hay noches negras, negras, que llevan en la frente
Una rosa de sol...
En estas noches negras y claras no se duerme.

Y yo te amo, Invierno!
Yo te imagino viejo,
Yo te imagino sabio,
Con un divino cuerpo de mármol palpitante
Que arrastra como un manto regio el peso del Tiem-
[po...
Invierno, yo te amo y soy la primavera...
Yo sonroso, tú nievas:
Tú porque todo sabes,
Yo porque todo sueño...

...Amémonos por eso!...
Sobre mi lecho en blanco,
Tan blanco y vaporoso como flor de inocencia,
Como espuma de vicio,
Invierno, Invierno, Invierno,
Caigamos en un ramo de rosas y de lirios!

227

TU BOCA

Yo hacía una divina labor, sobre la roca
Creciente del Orgullo. De la vida lejana,
Algún pétalo vívido me voló en la mañana,
Algún beso en la noche. Tenaz como una loca,
Seguía mi divina labor sobre la roca.

Cuando tu voz que funde como sacra campana
En la nota celeste la vibración humana,
Tendió su lazo de oro al borde de tu boca;

—Maravilloso nido del vértigo, tu boca!
Dos pétalos de rosa abrochando un abismo...—

Labor, labor de gloria, dolorosa y liviana;
¡Tela donde mi espíritu se fue tramando él mismo!
Tú quedas en la testa soberbia de la roca,

Y yo caigo, sin fin, en el sangriento abismo!

¡OH TÚ!

Yo vivía en la torre inclinada
De la Melancolía...
Las arañas del tedio, las arañas más grises,
En silencio y en gris tejían y tejían.

¡Oh, la húmeda torre!...
Llena de la presencia
Siniestra de un gran búho,
Como un alma en pena;

Tan mudo que el Silencio en la torre es dos veces;
Tan triste, que sin verlo nos da frío la inmensa
Sombra de su tristeza.

Eternamente incuba un gran huevo infecundo,
Incrustadas las raras pupilas *más allá;*
O caza las arañas del tedio, o traga amargos
Hongos de soledad.
El búho de las ruinas ilustres y las almas
Altas y desoladas!
Náufraga de la Luz yo me ahogaba en la sombra...
En la húmeda torre, inclinada a mí misma,
A veces yo temblaba
Del horror de mi sima.

* * *

¡Oh, Tú que me arrancaste a la torre más fuerte!
Que alzaste suavemente la sombra como un velo,
Que me lograste rosas en la nieve del alma,
Que me lograste llamas en el mármol del cuerpo;
Que hiciste todo un lago de cisnes, de mi lloro...
Tú que en mí todo puedes,

229

En mí debes ser Dios!
De tus manos yo quiero hasta el Bien que hace mal...
Soy el cáliz brillante que colmarás, Señor;
Soy, caída y erguida como un lirio a tus plantas,
Más que tuya, mi Dios!

Perdón, perdón si peco alguna vez, soñando
Que me abrazas con alas ¡todo mío! en el Sol...

EN TUS OJOS

Ojos a toda luz y a toda sombra!
Heliotropos del Sueño! Plenos ojos
Que encandiló el Milagro y que no asombra
Jamás la Vida... Eléctricos cerrojos

De profundas estancias; claros broches,
Broches oscuros, húmedos, temblantes,
Para un collar de días y de noches...
Bocas de abismo en labios centelleantes;

Natas de amargas mares nunca vistas;
Claras medallas; tétricos blasones;
Capullos de dos noches imprevistas
Y madreperlas de constelaciones...

¿Sabes todas las cosas palpitantes,
Inanimadas, claras, tenebrosas,
Dulces, horrendas, juntas o distantes,
Que pueden ser tus ojos?... Tantas cosas
Que se nombraran infinitamente!...

Maravilladas veladoras mías
Que en fuego bordan visionariamente
La trama de mis noches y mis días!...
Lagos que son también una corriente...

Jardines de los iris! devorados
Por dos fuentes que eclipsan los tesoros
Sombríos más sombríos, más preciados...
Firmamentos en flor de meteoros;

Fondos marinos, cristalinas grutas
Donde se encastilló la Maravilla;
Faros que apuntan misteriosas rutas...
Caminos temblorosos de una orilla

Desconocida; lámparas votivas
Que se nutren de espíritus humanos
Y que el milagro enciende; gemas vivas
Y hoy por gracia divina, ¡siemprevivas!
Y en el azur del Arte, astros hermanos!

DÍA NUESTRO

—La tienda de la noche se ha rasgado hacia Orien-
[te.—
Tu espíritu amanece maravillosamente;
Su luz entra en mi alma como el sol a un vergel...

—Pleno sol. Llueve fuego.— Tu amor tienta, es la
[gruta
Afelpada de musgo, el arroyo, la fruta,
La deleitosa fruta madura a toda miel.

—El Ángelus.— Tus manos son dos alas tranquilas,
Mi espíritu se dobla como un gajo de lilas,
Y mi cuerpo te envuelve... tan sutil como un velo.

—El triunfo de la Noche.— De tus manos, más be-
[llas,
Fluyen todas las sombras y todas las estrellas,
Y mi cuerpo se vuelve profundo como un cielo!

TRES PÉTALOS A TU PERFIL*

En oro, bronce o acero
Líricos grabar yo quiero
Tu Wagneriano perfil;
Perfil supremo y arcano
Que yo torné casi humano:
Asómate a mi buril.

Perfil que me diste un día
Largo de melancolía
Y rojo de corazón;
Perfil de antiguos marfiles,
Diamante de los perfiles,
Mi lira es tu medallón!

Perfil que el tedio corona,
Perfil que el orgullo encona
Y estrella un gran ojo gris,
Para embriagar al Futuro,
Destila, tu filtro oscuro
En el cáliz de este lis.

---

* Este poema se publicó en *La Semana* el 17 de mayo de 1913.

LA RUPTURA*

Érase una cadena fuerte como un destino,
Sacra como una vida, sensible como un alma;
La corté con un lirio y sigo mi camino
Con la frialdad magnífica de la Muerte... Con alma

Curiosidad mi espíritu se asoma a su laguna
Interior, y el cristal de las aguas dormidas,
Refleja un dios o un monstruo, enmascarado en una
Esfinge tenebrosa suspensa de otras vidas.

---

* Este poema fue publicado en *Apolo* en agosto-septiembre de 1911.

VISIÓN*

¿Acaso fue en un marco de ilusión,
En el profundo espejo del deseo,
O fue divina y simplemente en vida
Que yo te vi velar mi sueño la otra noche?

En mi alcoba agrandada de soledad y miedo,
Taciturno a mi lado apareciste
Como un hongo gigante, muerto y vivo,
Brotado en los rincones de las noches
Húmedos de silencio,
Y engrasados de sombra y soledad.

Te inclinabas a mí supremamente,
Como a la copa de cristal de un lago
Sobre el mantel de fuego del desierto;
Te inclinabas a mí, como un enfermo
De la vida a los opios infalibles
Y a las vendas de piedra de la Muerte;
Te inclinabas a mí como el creyente
A la oblea de cielo de la hostia...
—Gota de nieve con sabor de estrellas
Que alimenta los lirios de la Carne,
Chispa de Dios que estrella los espíritus.—
Te inclinabas a mí como el gran sauce
De la Melancolía
A las hondas lagunas del silencio;
Te inclinabas a mí como la torre
De mármol del Orgullo,
Minada por un monstruo de tristeza,
A la hermana solemne de su sombra...

---

* Este poema fue publicado en *La Razón* del 29 de enero de
1913.

Te inclinabas a mí como si fuera
Mi cuerpo la inicial de tu destino
En la página oscura de mi lecho;
Te inclinabas a mí como al milagro
De una ventana abierta al más allá.

¡Y te inclinabas más que todo eso!

Y era mi mirada una culebra
Apuntada entre zarzas de pestañas,
Al cisne reverente de tu cuerpo.
Y era mi deseo una culebra
Glisando entre los riscos de la sombra
A la estatua de lirios de tu cuerpo!

Tú te inclinabas más y más... y tanto,
Y tanto te inclinaste,
Que mis flores eróticas son dobles,
Y mi estrella es más grande desde entonces.
Toda tu vida se imprimió en mi vida...

Yo esperaba suspensa el aletazo
Del abrazo magnífico; un abrazo
De cuatro brazos que la gloria viste
De fiebre y de milagro, será un vuelo!
Y pueden ser los hechizados brazos
Cuatro raíces de una raza nueva:

Y esperaba suspensa el aletazo
Del abrazo magnífico...
Y cuando,
Te abrí los ojos como un alma, ví
Que te hacías atrás y te envolvías
En yo no sé qué pliegue inmenso de la sombra!

Lis púrpura

CON TU RETRATO

Yo no sé si mis ojos o mis manos
Encendieron la vida en tu retrato;
Nubes humanas, rayos sobrehumanos,
Todo tu *Yo* de emperador innato

Amanece a mis ojos, en mis manos!
Por eso, toda en llamas, yo desato
Cabellos y alma para tu retrato,
Y me abro en flor!... Entonces, soberanos

De la sombra y la luz, tus ojos graves
Dicen grandezas que yo sé y tú sabes...
Y te dejo morir... Queda en mis manos

Una gran mancha lívida y sombría...
Y renaces en mi melancolía
Formado de astros fríos y lejanos!

EL SILENCIO...

Por tus manos indolentes
Mi cabello se desfloca;
Sufro vértigos ardientes
Por las dos tazas de moka

De tus pupilas calientes;
Me vuelvo peor que loca
Por la crema de tus dientes
En las fresas de tu boca;

En llamas me despedazo
Por engarzarme en tu abrazo,
Y me calcina el delirio
Cuando me yergo en tu vida,
Toda de blanco vestida,
Toda sahumada de lirio!

OTRA ESTIRPE

Eros, yo quiero guiarte, Padre ciego...
Pido a tus manos todopoderosas,
Su cuerpo excelso derramado en fuego
Sobre mi cuerpo desmayado en rosas!

La eléctrica corola que hoy despliego
Brinda el nectario de un jardín de Esposas;
Para sus buitres en mi carne entrego
Todo un enjambre de palomas rosas!

Da a las dos sierpes de su abrazo, crueles,
Mi gran tallo febril... Absintio, mieles,
Viérteme de sus venas, de su boca...
¡Así tendida soy un surco ardiente,
Donde puede nutrirse la simiente,
De otra Estirpe, sublimemente loca!

De fuego, de sangre y de sombra

EL SURTIDOR DE ORO

Vibre, mi musa, el surtidor de oro
La taza rosa de tu boca en besos;
De las espumas armoniosas surja
Vivo, supremo, misterioso, eterno,
El amante ideal, el esculpido
En prodigios de almas y de cuerpos;
Debe ser vivo a fuerza de soñado,
Que sangre y alma se me va en los sueños;
Ha de nacer a deslumbrar la Vida,
Y ha de ser un dios nuevo!
Las culebras azules de sus venas
Se nutren de milagro en mi cerebro...

* * *

Selle, mi musa, el surtidor de oro
La taza rosa de tu boca en besos;
El amante ideal, el esculpido
En prodigios de almas y de cuerpos,
Arraigando las uñas extrahumanas
En mi carne, solloza en mis ensueños;
—Yo no quiero más Vida que tu vida,
Son en ti los supremos elementos;
Déjame bajo el cielo de tu alma,
En la cálida tierra de tu cuerpo!—
—Selle, mi musa, el surtidor de oro
La taza rosa de tu boca en besos!

FIERA DE AMOR

Fiera de amor, yo sufro hambre de corazones.
De palomos, de buitres, de corzos o leones,
No hay manjar que más tiente, no hay más grato sa-
[bor;
Había ya estragado mis garras y mi instinto,
Cuando erguida en la casi ultratierra de un plinto,
Me deslumbró una estatua de antiguo emperador.

Y crecí de entusiasmo; por el tronco de piedra
Ascendió mi deseo como fulmínea hiedra
Hasta el pecho, nutrido en nieve al parecer;
Y clamé al imposible corazón... la escultura
Su gloria custodiaba serenísima y pura,
Con la frente en Mañana y la planta en Ayer.

Perenne mi deseo, en el tronco de piedra
Ha quedado prendido como sangrienta hiedra;
Y desde entonces muerdo soñando un corazón
De estatua, presa suma para mi garra bella;
No es ni carne ni mármol: una pasta de estrella
Sin sangre, sin calor y sin palpitación...

Con la esencia de una sobrehumana pasión!

CEGUERA

Me abismo en una rara ceguera luminosa;
Un astro, casi un alma, me ha velado la Vida.
¿Se ha prendido en mí como brillante mariposa,
O en su disco de luz he quedado prendida?

No sé...
Rara ceguera que me borras el mundo,
Estrella, casi alma, con que asciendo o me hundo:
Dame tu luz y vélame eternamente el mundo!

INEXTINGUIBLES...

¡Oh, tú que duermes tan hondo que no despiertas!
Milagrosas de vivas, milagrosas de muertas,
Y por muertas y vivas eternamente abiertas,

Alguna noche en duelo yo encuentro tus pupilas

Bajo un trapo de sombra o una blonda de luna.
Bebo en ellas la Calma como en una laguna.
Por hondas, por calladas, por buenas, por tranquilas

Un lecho o una tumba parece cada una.

PARA TUS MANOS

Manos que sois de la Vida,
Manos que sois del Ensueño;
Que disteis toda belleza
Que toda belleza os dieron;
Tan vivas como dos almas,
Tan blancas como de muerto,
Tan suaves que se diría
Acariciar un recuerdo;
Vasos de los elixires
Los filtros y los venenos;
Manos que me disteis gloria
Manos que me disteis miedo!
Con finos dedos tomasteis
La ardiente flor de mi cuerpo...
Manos que vais enjoyadas
Del rubí de mi deseo,
La perla de mi tristeza,
Y el diamante de mi beso;
¡Llevad a la fosa misma
Un pétalo de mi cuerpo!
Manos que sois de la Vida,
Manos que sois del Ensueño.

¿En que tela de llamas me envolvieron
Las arañas de nieve de tus manos?
Red de tu alma y de tu carne, lía
Mis alas y mis brazos!

Tú me llegaste de un país tan lejos
Que a veces pienso si será soñado...
Venías a traerme mi destino,
Tal vez desde el Olimpo, en esas manos;
Y hoy que tu nave peregrina cruza

No sé que mar al soplo del Acaso,
Ellas abren sin fin sobre mi vida,
Como un cielo presente aunque lejano,
Y de sus palmas armoniosas bajan
Noches y días alhajados de astros,
O encapuzados de siniestras nubes
Que me apuntan sus rayos...

Ellas me alzaron como un lirio roto
De mi tristeza como de un pantano;
Me desvelaron de melancolías,
Obturaron las venas de mi llanto,
Las corolas de oro de mis lámparas
De insomnio deshojaron,
Abrieron deslumbrantes los dormidos
Capullos de mis astros,
Y gráciles prendieron en mi pecho
La rosa del Encanto.

Mis alas embriagadas de pereza,
Con dulzura balsámica peinaron,
Les curaron las llagas de la tierra,
Y apartando las puertas del Milagro,
Con un gesto que hacía un horizonte
Una vía de azur me señalaron...
Yo abrí los brazos al tender las alas...
Quise volar... y desmayé en tus manos!

. . . .

¿En que tela de fuego me envolvieron
Las arañas de nieve de tus manos?
¡Red de tu alma y de tu carne, lía
Mis alas y mis brazos!

* * *

Manos que sois de la Vida,
Manos que sois del Ensueño;

Manos que me disteis gloria,
Manos que me disteis miedo!
Llevad a la fosa misma
Un pétalo de mi cuerpo...

—¿Contendrán esas manos divinas, invisible,
El doloroso signo de las supremas leyes?...
Yo creo que solemnes, dominarán al tiempo!
Y dulces, juraría que hechizan a la Muerte!

* * *

Manos que sois de la Vida,
Manos que sois del Ensueño;
Manos que me disteis gloria,
Manos que me disteis miedo!

NOCTURNO

Engarzado en la noche el lago de tu alma,
Diríase una tela de cristal y de calma
Tramada por las grandes arañas del desvelo.

Nata de agua lustral en vaso de alabastros;
Espejo de pureza que abrillantas los astros
Y reflejas la sima de la Vida en un cielo!...

Y soy el cisne errante de los sangrientos rastros,
Voy manchando los lagos y remontando el vuelo.

EL CISNE

Pupila azul de mi parque
Es el sensitivo espejo
De un lago claro, muy claro!...
Tan claro que a veces creo
Que en su cristalina página
Se imprime mi pensamiento.

Flor del aire, flor del agua,
Alma del lago es un cisne
Con dos pupilas humanas,
Grave y gentil como un príncipe;—
Alas lirio, remos rosa...
Pico en fuego, cuello triste
Y orgulloso, y la blancura
Y la suavidad de un cisne...

El ave cándida y grave
Tiene un maléfico encanto;
—Clavel vestido de lirio,
Trasciende a llama y milagro!...
Sus alas blancas me turban
Como dos cálidos brazos;
Ningunos labios ardieron
Como su pico en mis manos;
Ninguna testa ha caído
Tan lánguida en mi regazo;
Ninguna carne tan viva,
He padecido o gozado:
Viborean en sus venas
Filtros dos veces humanos!

Del rubí de la lujuria
Su testa está coronada;

255

Ilustración publicada en *Fray Mocho,* noviembre de 1912, Año 1, núm. 27, Buenos Aires.

Y va arrastrando el deseo
En una cauda rosada.

   Agua le doy en mis manos
Y él parece beber fuego
Y yo parezco ofrecerle
Todo el vaso de mi cuerpo...

   Y vive tanto en mis sueños,
Y ahonda tanto en mi carne,
Que a veces pienso si el cisne
Con sus dos alas fugaces,
Sus raros ojos humanos
Y el rojo pico quemante
Es sólo un cisne en mi lago
O es en vida un amante...

   Al margen del lago claro
Yo le interrogo en silencio...
Y el silencio es una rosa
Sobre su pico de fuego...
Pero en su carne me habla
Y yo en mi carne le entiendo.
   —A veces ¡toda! soy alma;
Y a veces ¡toda! soy cuerpo—
Hunde el pico en mi regazo
Y se queda como muerto...
Y en la cristalina página,
En el sensitivo espejo
Del lago que algunas veces
Refleja mi pensamiento,
El cisne asusta de rojo,
Y yo de blanca doy miedo!

PLEGARIA

—Eros: ¿acaso no sentiste nunca
Piedad de las estatuas?
Se dirían crisálidas de piedra
De yo no sé qué formidable raza
En una eterna espera inenarrable.
Los cráteres dormidos de sus bocas
Dan la ceniza negra del Silencio,
Mana de las columnas de sus hombros
La mortaja copiosa de la Calma,
Y fluye de sus órbitas la noche:
Víctimas del Futuro o del Misterio,
En capullos terribles y magníficos
Esperan a la Vida o a la Muerte.
Eros: ¿acaso no sentiste nunca
Piedad de las estatuas?—
        Piedad para las vidas
Que no doran a fuego tus bonanzas
Ni riegan o desgajan tus tormentas;
Piedad para los cuerpos revestidos
Del armiño solemne de la Calma,
Y las frentes en luz que sobrellevan
Grandes lirios marmóreos de pureza,
Pesados y glaciales como témpanos;
Piedad para las manos enguantadas
De hielo, que no arrancan
Los frutos deleitosos de la Carne
Ni las flores fantásticas del alma;
Piedad para los ojos que aletean
Espirituales párpados:
Escamas de misterio,
Negros telones de visiones rosas...
¡Nunca ven nada por mirar tan lejos!
Piedad para las pulcras cabelleras

—Místicas aureolas—
Peinadas como lagos
Que nunca airea el abanico negro,
Negro y enorme de la tempestad;
Piedad para los ínclitos espíritus
Tallados en diamante,
Altos, claros, extáticos
Pararrayos de cúpulas morales;
Piedad para los labios como engarces
Celestes donde fulge
Invisible la perla de la Hostia;
—Labios que nunca fueron,
Que no apresaron nunca
Un vampiro de fuego
Con más sed y más hambre que un abismo.—
Piedad para los sexos sacrosantos
Que acoraza de una
Hoja de viña astral la Castidad;
Piedad para las plantas imantadas
De eternidad que arrastran
Por el eterno azur
Las sandalias quemantes de sus llagas;
Piedad, piedad, piedad
Para todas las vidas que defiende
De tus maravillosas intemperies
El mirador enhiesto del Orgullo:

Apúntales tus soles o tus rayos!

Eros: ¿acaso no sentiste nunca
Piedad de las estatuas?...

A LO LEJOS

Tu vida viuda enjoyará aquel día...
En la gracia silvestre de la aldea
Era una llaga tu perfil arcano;
Insólito, alarmante sugería
El esmalte de espléndida presea
Sobre un pecho serrano.

Por boca de la abierta ventana suspiraba
Toda la huerta en flor, era por puro
Toda la aldea al cuarto asoleado;
¿Recuerdas?... Sobre mí se proyectaba,
Más mortal que tu sombra sobre el muro,
Tu solemne tristeza de extraviado...

Tus manos alargadas de tenderse al Destino
Todo palidecidas de amortajar quimeras,
Parecían tocarme de muy lejos...
Tus ojos eran un infinito camino
Y crecían las lunas nuevas de tus ojeras;
En sólo un beso nos hicimos viejos...

—¡Oh beso!... flor de cuatro pétalos... dos de Ciencia
Y dos iluminados de inocencia...
El cáliz una sima embriagante y sombría.—
Por un milagro de melancolía,
Mármol o bronce me rompí en tu mano
Derramando mi espíritu, tal un pomo de esencia.

Tu vida viuda enjoyará aquel día...
Mi nostalgia ha pintado tu perfil Wagneriano
Sobre el velo tremendo de la ausencia.

AL LECTOR

Actualmente preparo «Los astros de abismo».

Al incluir en el presente volumen —segunda edición de *Cantos de la mañana* y de parte de *El libro blanco*— estas poesías nuevas, no he perjudicado en nada la integridad de mi libro futuro. El deberá ser la cúpula de mi obra.

Y me seduce el declarar que si mis anteriores libros han sido sinceros y poco meditados, estos *Cálices vacíos,* surgidos en un bello momento hiperestésico, constituyen el más sincero, el menos meditado... Y el más querido.

JUICIOS CRÍTICOS
(ALGUNOS PÁRRAFOS)*

Texto de F. Villaespesa que se pueden leer en la última parte de *Cantos de la mañana* de esta edición.

Señorita Delmira Agustini... Pocas veces me ha impresionado tanto un alma como la que acabo de ver a través de los dos libros que Ud. ha tenido la bondad de enviarme... Pero la nota que Ud. da no la había oído hasta ahora.

...No pierdo la esperanza de encontrar pronto otra ocasión de hablar de tan alta poetisa con el detenimiento y la serenidad que su talento excepcional merece.

MANUEL UGARTE

---

* Cuando Delmira Agustini publicó *Cantos de la mañana,* la autora seleccionó fragmentos de comentarios de cartas personales y de notas periodísticas sobre su obra, que aparecen al final de dicha edición. Cuando publica *Los cálices vacíos,* Agustini incluye algunos de los juicios críticos que habían aparecido en *Cantos de la mañana* junto a otros comentarios elogiosos. En esta sección de *Los cálices vacíos* reproducimos solamente los que no aparecen en la última parte de *Cantos de la mañana.* Para que el lector tenga una idea acabal de la edición completa de *Los cálices vacíos,* especificamos el lugar de los textos omitidos que pueden ser consultados al final de *Cantos de la mañana* en nuestra edición.

El Rector de la Universidad de Salamanca.

Señorita:

Abrí sus *Cantos de la mañana* y vi lo primero que es musa hispana, gitana su sangre y teutón el rubio vaso.

«Alma que cabe en un verso
Mejor que en un univeso»—

Qué extra-femenino, es decir, qué hondamente humano es esto!

«Las noches son caminos negros de las auroras...» sí, por las noches se va mejor.

«Fuerte como en los brazos de Dios!» Qué poético, es decir qué íntimamente verdadero es esto!...

Sí, por mi parte sé lo que es llevar adentro «una estrella dormida que nos abrasa sin dar fulgor».

«Y se besaban hondo hasta morderse el alma». Y el alma suele morir de estas mordeduras.

«Engastada en mis manos fulguraba como oscura presea tu cabeza...»

Sí, de la cabeza fluye una vida ignota. El hombre, dicen, tiende a convertirse en un hipertrófico cerebro servido por órganos...

Y ahora, después de estas fugitivas notas, escritas mientras leo su libro, no quiero leer las «Opiniones sobre la poetisa». ¿Para qué? Voy a leer el otro, *El libro blanco*. Lo abro ahora mismo y anoto: He leído las dos composiciones. No tienen la intensidad ni la intimidad de las de su otro libro. Ha progresado Ud.; es decir, ha vivido.

«Si mi labio está aún dulce de la oración que os llama!» Muy poético!

«La rima es el tirano empurpurado.»

De esto le escribiría todo un libro... La poesía a «La estatua» me recuerda algo que he escrito titulado «Calma» y que aparecerá en mi segundo y nuevo tomo de Poesías.

«Tal llega a amarse un gran dolor amigo...»

Cómo se vive de él...!

«Sin el espectro destructor del Tiempo.»

Sí, sí, esa es mi canción!

«Misterio, ven...»

Sí, eso del más allá es la fuente de toda poesía. «Sobre tus hombros pesará mi cruz!»

Sí, sí no pudiéramos cambiarnos los hombres las cruces, no viviríamos. «Desde lejos» ¡Muy bien! Sí, una mujer no puede ofrecer a un hombre nada más grande que su destino.

Y eso de: «Mi alma es frente a tu alma como el mar frente al cielo» —es de verdadera grandeza.

Y cierro este otro libro.

La saluda con toda simpatía de compañerismo.

MIGUEL DE UNAMUNO

Texto de Samuel Blixen y Carlos Vaz Ferreira que se puede leer en la última parte de *Cantos de la mañana* de esta edición.

...Delmira Agustini no es una «aficionada», no. Ni copia ni imita; crea. Para ella la poesía no es un juego; es una sagrada fatalidad. Sus poemas son suyos, están vivos, nacieron en las maternales entrañas de su alma. Será tal vez en Sudamérica lo que en Francia es hoy Mme. de Noailles...

RAFAEL BARRETT

...Me complazco en ofrendar un manojo de rosas triunfales, en el hosanna unánime que glorifica la frente pagana de la Nueva Musa de América...

JULIO HERRERA Y REISSIG

Consejo Superior de Letras y Bellas Artes
Santiago de Chile
Señorita Delmira Agustini.
...Había tenido ya la fortuna de leer algunos versos suyos y ellos me hicieron ver a usted en el grupo no muy numeroso de los poetas americanos que llevan su frente clareada por la gloria.

Su acento poético es seductor. Sus versos agotan las bellezas del ritmo. En algunos me admira la idea, en otros me seduce la pasión; en éstos me encanta la gracia de la forma y en aquéllos me turba la frescura de su aliento...

Es usted una regia poetisa.

MIGUEL LUIS ROCUANT

Texto de Roberto de las Carreras que se puede leer en la última parte de *Cantos de la mañana* de esta edición.

...Recibí sus dos bellísimos presentes: *Cantos de la mañana* y *El libro blanco*. Al leerlos he sentido ardores de entusiasmo y aleteos vigorosos de fantasía fresca y joven. Es usted poetisa de alto genio.

LISÍMACO CHAVARRÍA
San José de Costa Rica

...Frescor de sinceridad y sencillez prestigiada son lo que mejor nos cautiva en toda la producción de la gentil poetisa. A base de sinceridad, madre de muchos héroes y de muy grandes poetas, ella va camino de la originalidad, haciendo sus hallazgos, preparando siempre lucimiento mejor en su jardín para la primavera que viene y seleccionando para honor de su tierra lo que en él hay. A veces en la confección se muestran raras libertades y la hebra de atadura es roja: tal vez sea una hilacha de la camisa de Garibaldi...

ALBERTO SÁNCHEZ
Bogotá, Colombia

...Se me ha revelado usted como una poetisa en verdad, con su fina alma de elección, dotada de la más rica sensibilidad y de una admirable belleza sugestionadora.

...Una prueba de esto la tiene usted en la precipitación con que trazo estas líneas, en tan violento desaliño apenas terminada la lectura de sus *Cantos*, cuando aún está vibrante en mi reino interior este como deslumbramiento que me han producido.

A. BORQUEZ SOLAR
Santiago de Chile

...El alma de usted no puede ser más delicada ni más fuerte y su cerebro el más robusto cerebro de mujer, por lo que no vacilo en considerarla de acuerdo con Villaespesa, el más prodigioso temperamento femenino de los actuales tiempos.

GUILLERMO LAVADO ISAVA
La Guaira, Venezuela

...Me inclino reverente ante su talento y la doy gracias por los instantes inefables que la lectura de sus libros produjeron en mi espíritu. Sus versos, llenos de savia, arrogantes y vigorosos, me hacen el efecto de esas raras flores marinas que desafían los oleajes y a los airados vientos.

Así son ellos, tan viriles, tan personales. Y sobre todo tan bellos en su omnímodo orgullo!

267

...Desde este rincón del mundo, yo la saludo como a una individualidad de estas tierras castellanas.

LUIS ROBERTO BOZÁ
Santiago de Chile

...La labor de vuestro ingenio es una meritísima labor de artista, que se acrecienta más, y toma proporciones inusitadas con el encanto de vuestra fémínea originalidad...

JUAN SERRANO
Caracas, Venezuela

...No fuera para mí sagrado el ritmo ni el divino Apolo me llamara su fiel, si al pasar por esta deliciosa, pintoresca y española villa no enviara, como lo hago, mi homenaje a la alondra sentimental y expresiva que me hizo soñar tanto con aquel maravilloso trino:

«Amor! la noche estaba trágica y sollozante...»

y aquella romanza inaudita a fuerza de armoniosa:

«Yo la soñé impasible, formidable y ardiente...»

ISMAEL URDANETA
Caracas, Venezuela

Texto de Guzmán Papini que se pueden leer en la última parte de *Cantos de la mañana* de esta edición.

...Sus versos, de forma marmórea, además de ser muy musicales y estar llenos de riqueza verbal, realizan algunas de las imágenes más suntuosas y originales que conozco...

Raúl Montero Bustamante

Textos de Ovidio Fernández Ríos, Pérez y Curis, Ismael Cortinas, Luis Scarzolo Travieso, Manuel Medina Betancort, José G. Antuña y Pío Durbal Salarí que se pueden leer en la última parte de *Cantos de la mañana* de esta edición.

...Sin influencias de escuelas ni de estros; sin amoldarse a preceptos y cánones establecidos; sensitiva e indagadora moderna y libre, esta poetisa asciende por la espiral de los estetismos, pura, majestuosa y diáfana como un ave que ansiosa de espacios más azules, va en busca del infinito para replegar las alas de su ensueño a la luz meridiana de todos los alumbramientos.

José Luis Panizza

Textos de Ricardo Sánchez y Santín C. Rossi que se pueden leer en la última parte de *Cantos de la mañana* de esta edición.

Prensa Nacional

Comentarios de Francisco A. Schinca para *El Día* y de Natalio Botana para *El Eco del País* se pueden leer en la última parte de *Cantos de la mañana* de esta edición.

...Merece que en su loor suenen los clarines del triunfo, pues con él la señorita Agustini afirma de manera incontrastable lo magnífico y la maestría de su estro. Con estos nuevos versos, en los que palpita, vibra y fascina un estilo completamente viril, la señorita Agustini tiene derecho *par droit de conquête* a puesto de preeminencia entre las culturas de la Gaya Ciencia Americana.

El Siglo

...Éstos denotan la originalidad y el buen gusto de la poetisa de la referencia que siempre ha demostrado el alto valer de su joven pluma...

El Tiempo

Delmira Agustini, acaba de dar a publicidad un nuevo tomo de poesías titulado *Cantos de la mañana*.

La imaginación y el talento poético se armonizan en esa obra que es todo un canto inspirado y en que la autora de *El libro blanco* fascina por su estilo y sus conceptos.

La Democracia

Comentarios de *La Tribuna Popular* y *El Diario Español* que se pueden leer en la última parte de *Cantos de la mañana* de esta edición.

Delmira Agustini es, fuera de duda, una poetisa inspirada; sabe fundir sus versos al calor del sentimiento; modela las frases sin esfuerzos, presentándolas fluidas y espontáneas; cincela el verso pero sin incurrir en exageración, y con ese conjunto de felices disposiciones, difíciles de reunir en la mayoría de los cultores del idioma, consigna en cada línea una idea, en cada verso una modalidad de su espíritu inteligente, y logra dar a cada estrofa la vida que quiso inspirarle y que nos ofrece envuelta en perfumes que inundan al espíritu de infinitas belleza...

...tanto como la profunda simpatía con que acompañamos sus triunfos y que deseamos sean cada día mayores para honor suyo y del país.

El Telégrafo Marítimo

...El renombre adquirido en breve tiempo por esta joven y gentil escritora, se ilustra de un nuevo brillo auroral con estos *Cantos de la mañana,* verdaderos cantos de alondra que saludan el amanecer espléndido de una gloria...

El Pueblo

...Es dueña de un vigoroso temperamento exquisito de artista que siente e interpreta admirablemente la belleza...

La mayoría de sus versos es un collar de filigranas. Sorprenden algunos por la forma rara que viste la idea o el sentimiento, pero eso no obsta para que la manifestación del «yo» interior sea clara e intensa, cual corresponde a quien sabe exteriorizar donosamente sus concepciones de lo bello.

El Bien

El rosario de Eros *

1924

* «El rosario de Eros» es un poema largo que consta de cinco partes, cuyos subtítulos son «Cuentas de Mármol», «Cuentas de sombra»,
«Cuentas de fuego», «Cuentas de luz» y «Cuentas falsas», respectivamente. El título de este poema en cinco partes fue adaptado para intitular la
última colección de poemas que se publicó póstumamente.

ADVERTENCIA

Los poemas de esta sección no fueron compilados como libro en vida de Delmira Agustini. La poeta había anunciado en una breve nota «Al lector», en *Los cálices vacíos,* que estaba preparando un cuarto volumen de poemas que se titularía *Los astros del abismo.* Su prematura muerte dejó este volumen sin escribirse.

En vísperas del décimo aniversario de la muerte de la poeta, don Santiago Agustini preparó un manuscrito que reflejara la obra completa de Delmira. La edición estaría a cargo de O. M. Bertani, y la fecha de publicación se dispuso para 1924. Por esta razón, el orden y la selección de poemas que se reunieron póstumamente bajo el título general de «El rosario de Eros», reproduce la versión del manuscrito preparado por Santiago Agustini para la publicación de las *Obras completas* de 1924, según los documentos que he consultado en el Archivo Delmira Agustini de la Biblioteca Nacional de Montevideo, Uruguay. No es posible afirmar con seguridad que el título del cuarto libro de poemas de Agustini sería *El rosario de Eros.* Entre 1913 y 1914, Delmira Agustini publicó nueve poemas en suplementos literarios y revistas literarias según se indica en nota al pie de página. Estos poemas fueron recogidos bajo el título mencionado en el Tomo I póstumo de la edición de O. M. Bertini. Esta es la versión que aquí reproducimos. Nuestro texto, fiel a la edición de 1924, ha sido asimismo confrontado con los textos publicados en vida de la poeta y con los cuadernos del Archivo Delmira Agustini.

CUENTAS DE MÁRMOL

Yo, la estatua de mármol con cabeza de fuego,
Apagando mis sienes en frío y blanco ruego...

Engarzad en un gesto de palmera o de astro
Vuestro cuerpo, esa hipnótica alhaja de alabastro
Tallada a besos puros y bruñida en la edad;
Sereno, tal habiendo la luna por coraza;
Blanco, más que si fuerais la espuma de la Raza,
Y desde el tabernáculo de vuestra castidad,
Nevad a mí los lises hondos de vuestra alma;
Mi sombra besará vuestro manto de calma,
Que creciendo, creciendo me envolverá con Vos;
Luego será mi carne en la vuestra perdida...
Luego será mi alma en la vuestra diluida...
Luego será la gloria... y seremos un dios!
—Amor de blanco y frío,
Amor de estatuas, lirios, astros, dioses...
¡Tú me los des, Dios mío!

CUENTAS DE SOMBRA

Los lechos negros logran la más fuerte
Rosa de amor; arraigan en la muerte.
Grandes lechos tendidos de tristeza,
Tallados a puñal y doselados
De insomnio; las abiertas
Cortinas dicen cabelleras muertas;
Buenas como cabezas
Hermanas son las hondas almohadas:
Plintos del Sueño y del Misterio gradas.

Si así en un lecho como flor de muerte,
Damos llorando, como un fruto fuerte
Maduro de pasión, en carnes y almas,
Serán especies desoladas, bellas,
Que besen el perfil de las estrellas
Pisando los cabellos de las palmas!

—Gloria al amor sombrío,
Como la Muerte pudre y ennoblece
¡Tú me lo des, Dios mío!

CUENTAS DE FUEGO

Cerrar la puerta cómplice con rumor de caricia,
Deshojar hacia el mal el lirio de una veste...
—La seda es un pecado, el desnudo es celeste;
Y es un cuerpo mullido un diván de delicia.—
Abrir brazos... así todo ser es alado,
O una cálida lira dulcemente rendida
De canto y de silencio... más tarde, en el helado
Más allá de un espejo como un lago inclinado,
Ver la olímpica bestia que elabora la vida...
Amor rojo, amor mío;
Sangre de mundos y rubor de cielos...
¡Tú me lo des, Dios mío!

CUENTAS DE LUZ

Lejos como en la muerte

Siento arder una vida vuelta siempre hacia mí,
Fuego lento hecho de ojos insomnes, más que fuerte
Si de su allá insondable dora todo mi aquí.
Sobre tierras y mares su horizonte es mi ceño,
Como un cisne sonámbulo duerme sobre mi sueño
Y es su paso velado de distancia y reproche
El seguimiento dulce de los perros sin dueño
Que han roído ya el hambre, la tristeza y la noche
Y arrastran su cadena de misterio y ensueño.

Amor de luz, un río
Que es el camino de cristal del Bien.
¡Tú me lo des, Dios mío!

CUENTAS FALSAS

Los cuervos negros sufren hambre de carne rosa;
En engañosa luna mi escultura reflejo,
Ellos rompen sus picos, martillando el espejo,
Y al alejarme irónica, intocada y gloriosa,
Los cuervos negros vuelan hartos de carne rosa.
   Amor de burla y frío
Mármol que el tedio barnizó de fuego
O lirio que el rubor vistió de rosa,
Siempre lo dé, Dios mío...

O rosario fecundo,
Collar vivo que encierra
La garganta del mundo.
Cadena de la tierra
Constelación caída.

O rosario imantado de serpientes,
Glisa hasta el fin entre mis dedos sabios,
Que en tu sonrisa de cincuenta dientes
Con un gran beso se prendió mi vida:
Una rosa de labios.

MIS AMORES*

Hoy han vuelto.
Por todos los senderos de la noche han venido
A llorar en mi lecho.
¡Fueron tantos, son tantos!
Yo no sé cuáles viven, yo no sé cuál ha muerto.
Me lloraré yo misma para llorarlos todos.
La noche bebe el llanto
Como un pañuelo negro.

Hay cabezas doradas a sol, como maduras...
Hay cabezas tocadas de sombra y de misterio,
Cabezas coronadas de una espina invisible,
Cabezas que sonrosa la rosa del ensueño,
Cabezas que se doblan a cojines de abismo,
Cabezas que quisieran descansar en el cielo,
Algunas que no alcanzan a oler a primavera,
Y muchas que trascienden a flores de invierno.

Todas esas cabezas me duelen como llagas...
Me duelen como muertos...
¡Ah!... y los ojos... los ojos me duelen más: son do-
                                                    [bles!...
Indefinidos[1], verdes, grises, azules, negros,
Abrasan y fulguran,
Son caricias, dolor, constelación, infierno.

---

* El texto de este poema en la versión manuscrita de la autora ofrece
suficientes variantes como para afirmar que Agustini no acabó de corre-
girlo. Sospecho que la versión que se publicó en las *Obras completas*
de 1924 con supervisión de la familia es una versión corregida por Santiago
Agustini, padre de la poeta.
[1] En el manuscrito se nota una duda entre «indefinidos» e «indefini-
bles».

Sobre toda su luz, sobre todas sus llamas,
Se iluminó mi alma y se templó mi cuerpo.
Ellos me dieron sed de todas esas bocas...
De todas estas bocas que florecen mi lecho;
Vasos rojos o pálidos de miel o de amargura
Con lises de armonía o rosas de silencio,
De todos estos vasos donde bebí la vida,
De todos estos vasos donde la muerte bebo...
El jardín de sus bocas venenoso, embriagante,
En donde respiraba sus almas y sus cuerpos,
Embriagado en lágrimas
Ha rodeado[2] mi lecho...

Y las manos, las manos colmadas de destinos
Secretos y tendidas[3] de anillos de misterio...
Hay manos que nacieron con guantes de caricia;
Manos que están colmadas de flores del deseo,
Manos en que se siente un puñal nunca visto,
Y manos en que se ve un intangible cetro;
Pálidas o morenas, voluptuosas o fuertes,
En todas, ellas puede engarzar un sueño.
Con tristeza de alma,
Se doblegan los cuerpos
Sin velos, santamente
Vestidos de deseo.
Imanes de mis brazos
Panales de mi entraña
Como a invisible abismo se inclinan a mi lecho...

¡Ah, entre todas las manos yo he buscado tus manos!
Tu boca entre las bocas, tu cuerpo entre los cuerpos,
De todas las cabezas yo quiero tu cabeza,
De todos esos ojos, ¡tus ojos solos quiero!
Tú eres el más triste, por ser el más querido,
Tú has llegado el primero por venir de más lejos...

---

[2] En una versión dice «rechazado»; en otra dice «rodeado».
[3] La otra variante es «alhajadas».

¡Ah, la cabeza oscura que no he tocado nunca
Y las pupilas claras que miré tanto tiempo!
Las ojeras que ahondamos la tarde y yo inconscientes,
La palidez extraña que doblé sin saberlo,
Ven a mí: mente a mente;
Ven a mí: cuerpo a cuerpo
Tú me dirás qué has hecho de mi primer suspiro,
Tú me dirás qué has hecho del sueño de aquel beso.
Diremos si lloramos al encontrarnos solos...
Tú me dirás si has muerto,
Mi pena enlutará la alcoba lentamente,
Y estrecharé tu sombra hasta apagar mi cuerpo,
Y en el silencio ahondado de tiniebla,
Y en la tiniebla ahondada de silencio[4].
Nos velará llorando, llorando hasta morirse
Nuestro hijo: el recuerdo.

---

[4] La versión que transcribimos a continuación es el texto de este poema presentado para su publicación en las *Obras completas* de 1924:

MIS AMORES

Hoy han vuelto.
Por todos los senderos de la noche han venido
A llorar en mi lecho.
¡Fueron tantos, son tantos!
Yo no sé cuáles viven, yo no sé cuál ha muerto.
Me lloraré yo misma para llorarlos todos.
La noche bebe el llanto como un pañuelo negro.

Hay cabezas doradas a sol, como maduras...
Hay cabezas tocadas de sombra y de misterio,
Cabezas coronadas de una espina invisible,
Cabezas que sonrosa la rosa del ensueño,
Cabezas que se doblan a cojines de abismo,
Cabezas que quisieran descansar en el cielo,
Algunas que no alcanzan a oler la primavera,
Y muchas que trascienden a flores de invierno.
Todas esas cabezas me duelen como llagas...
Me duelen como muertos...
¡Ah!... y los ojos... los ojos me duelen más: son dobles!...
Indefinidos, verdes, grises, negros,
Abrasan si fulguran,

Son caricias, dolor, constelación, infierno.
Sobre toda su luz, sobre todas sus llamas,
Se iluminó mi alma y se templó mi cuerpo.
Ellos me dieron sed de todas esas bocas...
De todas estas bocas que florecen mi lecho;
Vasos rojos o pálidos de miel o de amargura
Con lises de armonía o rosas de silencio;
De todos estos vasos donde bebí la vida,
De todos estos vasos donde la muerte bebo...
El jardín de sus bocas venenoso, embriagante,
En donde respiraba sus almas y sus cuerpos,
Humedecido en lágrimas
Ha rodeado mi lecho...
Y las manos, las manos colmadas de destinos
Secretos y tendidas de anillos de misterio...
Hay manos que nacieron con guantes de caricia;
Manos que están colmadas de la flor del deseo,
Manos en que se siente un puñal nunca visto,
Manos en que se ve un intangible cetro;
Pálidas o morenas, voluptuosas o fuertes,
En todas ellas, puede engarzar un sueño.

> Con tristeza de almas,
> Se doblegan los cuerpos,
> Sin velos, santamente
> Vestidos de deseo.

Imanes de mis brazos, panales de mi entraña
Como a invisible abismo se inclinan a mi lecho...
¡Ah, entre todas las manos yo he buscado tus manos!
Tu boca entre las bocas, tu cuerpo entre los cuerpos,
De todas las cabezas yo quiero tu cabeza,
De todos esos ojos, tus ojos solos quiero!
Tú eres el más triste, por ser el más querido,
Tú has llegado el primero por venir de más lejos...

¡Ah, la cabeza oscura que no he tocado nunca
Y las pupilas claras que miré tanto tiempo!
Las ojeras que ahondamos la tarde y yo inconscientes,
La palidez extraña que doblé sin saberlo,

> Ven a mí: mente a mente;
> Ven a mí: cuerpo a cuerpo

Tú me dirás qué has hecho de mi primer suspiro,
Tú me dirás qué has hecho del sueño de aquel beso.
Me dirás si lloraste cuando te dejé solo...

285

Y me dirás si has muerto!...

　　　　　　　　　　　　　　　Si has muerto,
Mi pena enlutará la alcoba lentamente,
Y estrecharé tu sombra hasta apagar mi cuerpo,
Y en el silencio ahondado de tiniebla,
Y en la tiniebla ahondada de silencio.
Nos velará llorando, llorando hasta morirse
　　　　　　　　　　　Nuestro hijo: el recuerdo.

. . . .

Tu amor, esclavo, es como un sol muy fuerte:
Jardinero de oro de la vida,
Jardinero de fuego de la muerte,
En el carmen fecundo de mi vida.

Pico de cuervo con olor de rosas,
Aguijón enmelado de delicias
Tu lengua es. Tus manos misteriosas
Son garras enguantadas de caricias.

Tus ojos son mis medianoches crueles,
Panales negros de malditas mieles
Que se desangran en mi acerbidad;

Crisálida de un vuelo del futuro,
Es tu abrazo magnífico y oscuro
Torre embrujada de mi soledad.

EL ARROYO

¿Te acuerdas?... El arroyo fue la serpiente buena...
Fluía triste y triste como un llanto de ciego,
Cuando en las piedras grises donde arraiga la pena,
Como un inmenso lirio, se levantó tu ruego.

Mi corazón, la piedra más gris y más serena,
Despertó en la caricia de la corriente, y luego
Sintió cómo la tarde, con manos de agarena,
Prendía sobre él una rosa de fuego.

Y mientras la serpiente del arroyo blandía
El veneno divino de la melancolía,
Tocada de crepúsculo me abrumó tu cabeza,

La coroné de un beso fatal; en la corriente
Vi pasar un cadáver de fuego... Y locamente
Me derrumbó en tu abrazo profundo la tristeza.

POR TU MUSA

Cuando derramas en los hombros puros
De tu musa la túnica de nieve,
Yo concentro mis pétalos oscuros
Y soy el lirio de alabastro leve.

Para tu musa en rosa, me abro en rosa;
Mi corazón es miel, perfume y fuego;
Y vivo y muero de una sed gloriosa:
Tu sangre viva debe ser mi riego.

Cuando velada por un tul de luna
Bebe calma y azur en la laguna
Yo soy el cisne que soñando vuela;

Y si en luto magnífico la vistes,
Para vagar por los senderos tristes,
Soy la luz o la sombra de una estela...

DIARIO ESPIRITUAL

Es un lago mi alma;
Lago, vaso de cielo,
Nido de estrellas en la noche calma,
Copa del ave y de la flor, y suelo
De los cisnes y el alma.

*

—Un lago fue mi alma...—

Mi alma es una fuente
Donde canta un jardín; sonrosan rosas
Y vuelan alas en su melodía;
Engarza gemas armoniosamente
En el oro del día.

*

—Mi alma fue una fuente...—

Un arroyo es mi alma;
Larga caricia de cristal que rueda
Sobre carne de seda,
camino de diamantes de la calma.

—Fue un arroyo mi alma...—

Mi alma es un torrente;
Como un manto de brillo y armonía,
Como un manto infinito desbordado
De una torre sombría,
¡Todo lo envuelve voluptuosamente!

*

—Mi alma fue un torrente...—

Mi alma es todo un mar,
No un vómito siniestro del abismo:
Un palacio de perlas, con sirenas,
Abierto a todas las riberas buenas,
Y en que el amor divaga sin cesar...
Donde ni un lirio puede naufragar.

*

—Y mi alma fue mar...—

Mi alma es un fangal;
Llanto puso el dolor y tierra puso el mal.
Hoy apenas recuerda que ha sido de cristal;
No sabe de sirenas, de rosas ni armonía;
Nunca engarza una gema en el oro del día...
Llanto y llanto el dolor, y tierra y tierra el
                                              /mal!...

*

—Mi alma es un fangal;

¿Dónde encontrar el alma que en su entraña sombría
Prenda como una inmensa semilla de cristal?

LA CITA*

En tu alcoba techada de ensueños, haz derroche
De flores y de luces de espíritu; mi alma,
Calzada de silencio y vestida de calma,
Irá a ti por la senda más negra de esta noche.

Apaga las bujías para ver cosas bellas;
Cierra todas las puertas para entrar la Ilusión;
Arranca del Misterio un manojo de estrellas
Y enflora como un vaso triunfal tu corazón.

¡Y esperarás sonriendo, y esperarás llorando!...
Cuendo llegue mi alma, tal vez reces pensando
Que el cielo dulcemente se derrama en tu pecho...

Para el amor divino ten un diván de calma,
O con el lirio místico que es su arma, mi alma
Apagará una a una las rosas de tu lecho!

---

* Este poema se publicó en *Fray Mocho* el 16 de mayo de 1913.

ANILLO*

Raro anillo que clarea,
Raro anillo que sombrea
Una profunda amatista.

Crepúsculo vespertino
Que en tu matinal platino
Engarzó espléndido artista.

El porvenir es de miedo...
¿Será tu destino un dedo
De tempestad o de calma?

Para clararte y sombrearte,
¡Si yo pudiera glisarte
En un dedo de mi alma!...

* Este poema se publicó en *La Semana* el 18 de julio de 1913.

SERPENTINA*[1]

En mis sueños de amor, ¡yo soy serpiente!
Glisó y ondulo como una corriente;
Dos píldoras de insomnio y de hipnotismo
      Son mis ojos; la punta del encanto
Es mi lengua... ¡y atraigo como el llanto!
      Soy un pomo de abismo.

Mi cuerpo es una cinta de delicia,
Glisa y ondula como una caricia...

Y en mis sueños de odio, ¡soy serpiente!
Mi lengua es una venenosa fuente;
Mi testa es la luzbélica diadema,
Haz de la muerte, en un fatal soslayo
Son mis pupilas; y mi cuerpo en gema
      ¡Es la vaina del rayo!

---

* La primera versión de este poema que se transcribe abajo se titulaba «Diabólica» y se pensaba incluir bajo la sección «Lis Púrpura» de *Los cálices vacíos:*

DIÁBOLICA

En mis sueños de amor, yo soy serpiente.
Mi largo cuerpo ondula pedrerías;
Mi lengua es una venenosa fuente;
Mis ojos son dos esmeraldas frías.

Voy siguiendo tus huellas cautamente
Por sendas largas, tan sombrías
Que han de ir a la luz en que confías...
Y al fin te alcanzo, en tu pureza hiriente.
Blando en la sombra un devorante abrazo...
Y al fin me siento el hechizado lazo
Que te atará al Infierno eternamente!

[1] Este poema se publicó en *Número Almanaque Fray Mocho*, 1914.

Si así sueño mi carne, así es mi mente:
            Un cuerpo largo, largo de serpiente,
Vibrando eterna, ¡voluptuosamente!

SOBRE UNA TUMBA CÁNDIDA*

«Ha muerto... ha muerto»... dicen tan claro que no en-
                                 [tiendo...
¡Verter licor tan suave en vaso tan tremendo!...
Tal vez fue un mal extraño tu mirar por divino,
Tu alma por celeste, o tu perfil por fino...

Tal vez fueron tus brazos dos capullos de alas...
Eran cielo a tu paso los jardines, las salas,
Y te asomaste al mundo dulce como una muerta!
Acaso tu ventana quedó una noche abierta,
—¡Oh, tentación de alas una ventana abierta!—

¡Y te sedujo un ángel por la estrella más pura...
Y tus alas abrieron, y cortaron la altura
En un tijereteo de luz y de candor!

Y en la alcoba que tu alma tapizaba de armiño,
Donde ardían los vasos de rosas de cariño,
La Soledad llamaba en silencio al Horror...

---

* Este poema se publicó en *La Semana* el 10 de enero de 1934.

MI PLINTO*

Es creciente, diríase
Que tiene una infinita raíz ultraterrena...
Lábranlo muchas manos
Retorcidas y negras,
Con muchas piedras vivas...
Muchas oscuras piedras
Crecientes como larvas.

Como al impulso de una omnipotente araña
Las piedras crecen, crecen;
Las manos labran, labran,

     —Labrad, labrad, ¡oh manos!
     Creced, creced, ¡oh piedras!
     Ya me embriaga un glorioso
     Aliento de palmeras.

Ocultas entre el pliegue más negro de la noche,
Debajo del rosal más florido del alba,
Tras el bucle más rubio de la tarde,
Las tenebrosas larvas
De piedra, crecen, crecen,
Las manos labran, labran,
Como capullos negros
De infernales arañas.

     —Labrad, labrad, ¡oh manos!
     Creced, creced, ¡oh, piedras!
     Ya me abrazan los brazos
     De viento de la sierra.

---

* Este poema se publicó en *Fray Mocho* el 6 de marzo de 1914.

Van entrando los soles en la alcoba nocturna,
Van abriendo las lunas el silencio de nácar...

Tenaces como ebrias
De un veneno de araña
Las piedras crecen, crecen,
Las manos labran, labran.

—Labrad, labrad, ¡oh, manos!
Creced, creced, ¡oh, piedras!
¡Ya siento una celeste
Serenidad de estrella!

EL DIOS DUERME*

A Julieta, sobre la tumba de Julio

El Dios duerme su gloria a tu amparo, Julieta;
Una lanza de amor en tu brazo sonrosa;
Su *berceuse* fue blanca, tu *berceuse* es violeta...
Eras rosa en su lecho, eres lirio en su fosa.

—Las serpientes del mundo, apuntadas acechan
Las palomas celestes que en tu carne sospechan—.

El dios duerme, Julieta; su almohada es de estrellas
Pulidas por tu mano, y tu sombra es su manto;
La veladora insomne de tu mirada estrellas
En la Noche, rival única de tu encanto.

—Y las bellas serpientes, encendidas, meditan
En las suaves palomas que en tu cuerpo dormitan—.

Y el dios despertará nadie sabe en qué día,
Nadie sueña en qué tierra de glorificación.
Si se durmió llorando, que al despertar sonría...
En el vaso de luna de tu melancolía
Salva como un diamante rosa tu corazón.

¡Y sálvalo de Todo sobre tu corazón!

---

* Este poema se publicó en *La Razón* el 18 de marzo de 1914.

EN EL CAMINO*

Yo iba sola al Misterio bajo un sol de locura,
Y tú me derramaste tu sombra, peregrino;
Tu mirada fue buena como una senda oscura,
Como una senda húmeda que vendara el camino.

Me fue pródiga y fértil tu alforja de ternura:
Tuve el candor del pan, y la llama del vino;
Mas tu alma en un pliegue de su astral vestidura,
Abrojo de oro y sombra se llevó mi destino.

Mis manos, que tus manos abrigaron, ya nunca
Se enfriarán, y guardando la dulce malla trunca
De tus caricias ¡nunca podrán acariciar!...

En mi cuerpo, una torre de recuerdo y espera
Que se siente de mármol y se sueña de cera,
Tu Sombra logra rosas de fuego en el hogar;
Y en mi alma, un castillo desolado y sonoro
Con pátinas de tedio y humedades de lloro,
¡Tu Sombra logra rosas de nieve en el hogar!

---

* Este poema se publicó en *La Revista Literaria Nacional* en abril de 1914 y en *El trabajo* de San José de Costa Rica el 13 de abril de 1914.

BOCA A BOCA

Copa de vida donde quiero y sueño
Beber la muerte con fruición sombría,
Surco de fuego donde logra Ensueño
Fuertes semillas de melancolía.

Boca que besas a distancia y llamas
En silencio, pastilla de locura
Color de sed y húmeda de llamas...
¡Verja de abismo es tu dentadura!

Sexo de un alma triste de gloriosa;
El placer unges de dolor; tu beso
Puñal de fuego en vaina de embeleso,
Me come en sueños como un cáncer rosa...

Joya de sangre y luna, vaso pleno
De rosas de silencio y de armonía,
Nectario de su miel y su veneno,
Vampiro vuelto mariposa al día.

Tijera ardiente de glaciales lirios,
Panal de besos, ánfora viviente
Donde brindan delicias y delirios
Fresas de aurora en vino de Poniente...

Estuche de encendidos terciopelos
En que su voz es fúlgida presea,
Alas del verbo amenazando vuelos,
Cáliz en donde el corazón flamea.

Pico rojo del buitre del deseo
Que hubiste sangre y alma entre mi boca,
De tu largo y sonante picoteo
Brotó una llaga como flor de roca.

Inaccesible... Si otra vez mi vida
Cruzas, dando a la tierra removida
Siembra de oro tu verbo fecundo,
Tú curarás la misteriosa herida:
Lirio de muerte, cóndor de vida,
¡Flor de tu beso que perfuma al mundo!

CON SELENE*

Medallón de la noche con la imagen del día
Y herido por la perla de la melancolía;
Hogar de los espíritus, corazón del azul,
La tristeza de novia en su torre de tul;
Máscara del misterio o de la soledad,
Clavada como un hongo sobre la inmensidad,
Primer sueño del mundo, florecido en el cielo,
O la primer blasfemia suspendida en su vuelo...
Gran lirio astralizado, copa de luz y niebla,
Caricia o quemadura del sol en la tiniebla;
Bruja eléctrica y pálida que orienta en los caminos,
Extravía en las almas, hipnotiza destinos...
Desposada del mundo en magnética ronda;
Sonámbula celeste paso a paso de blonda;
Patria blanca o siniestra de lirios o de cirios,
Oblea de pureza, pastilla de delirios;
Talismán del abismo, melancólico y fuerte,
Imantado de vida, imantado de muerte...
A veces me pareces una tumba sin dueño...
Y a veces... una cuna ¡toda blanca! tendida de esperanza y
                                              [de ensueño...

* Este poema se publicó en *Catalunya Nova* el 18 de junio de 1914.

TUS OJOS, ESCLAVOS MOROS

En tu frialdad se emboscaban
Los grandes esclavos moros;
Negros y brillando en oros
De lejos me custodiaban.

Y, devorantes, soñaban
En mí no sé qué tesoros...
Tras el cristal de los lloros
Guardaban y amenazaban.

Ritmaban alas angélicas,
Ritmaban manos luzbélicas
Sus dos pantallas extrañas;
Y al yo mirarlos por juego,
Sus alabardas de fuego
Llegaron a mis entrañas.

LAS VOCES LAUDATORIAS*

Para André

Hermano: a veces dudo si existes o te sueño;
Coronado de espíritus reinas en la Belleza
Teniendo por vasallos la Vida y el Ensueño,
Y por novia la Gloria que el crepúsculo reza:

«Dios salve de sus ojos los dos largos estíos;
»Y mariposa ebria de sol, su cabellera;
»Y su boca, una rosa fresca sobre los ríos
»Del Fuego y la Armonía; y los vasos de cera

»De sus manos colmadas de rosas de cariño;
»Y su cuerpo sin sombra que reviste un armiño
»De castidad sobre una púrpura de pasión.

»Y, ante todo, Dios salve el rincón de su vida
»Do el Espíritu Santo de su espíritu anida:
»Ante todo, Dios salve en mí su corazón!»

El Ensueño se encierra en su boca sedeña...
El Ensueño no habla ni nada: sueña, sueña...

Y la Vida cantando a la sombra de un lloro:
«Su mirada me viste de terciopelo y fuego,
»O me vierte dos copas de tiniebla y de oro
»O abre en rosas mi carne con un cálido riego.

---

* Este poema se publicó en *Fray Mocho, Número Almanaque,* el 10 de enero de 1915. El texto que transcribimos corresponde al original manuscrito del Archivo Delmira Agustini.

»Su cuerpo hecho de pétalos de placer y de encanto,
»Corola el cáliz negro de la melancolía,
»Y su espíritu vuela de sus labios en canto
»En un pájaro rosa con un ala sombría.

»Cuando clava el divino monstruo de su belleza
»Su dentadura húmeda de miel y de tristeza,
»Es un mal o es un bien tan extraño y tan fuerte,

»Que la cabeza cae como una piedra oscura
»Buscando la fantástica venda de la locura
»O una honda y narcótica almohada de muerte.»

Y el ensueño se encierra en su boca sedeña;
El ensueño no habla ni nada: sueña, sueña...

Y yo te digo: hermano del corazón sonoro,
A tu paso los muros dan ventanas de anhelo,
Y se enjoyan las almas de sonrisa y de lloro
Y arde una bienvenida de rosas en el suelo.

En tu lira de brazos que abrazaran el vuelo
Fulgen las siete llaves de lírico tesoro,
O los siete peldaños de una escala de oro
Que asciende del abismo y desciende del cielo.

¡Eres Francia!... Tu sangre, tu alma, tu poesía
Forman un lis de fuego, de gloria y de armonía
Con que París corona su frente de crisol;

Si un día la nostalgia te diera fiebre o frío
Deja fluir tu espíritu como un Sena sombrío
O ábrelo como un manto de tu lejano sol!

Y el ensueño encerrado en su boca sedeña;
El Ensueño no habla ni nada: sueña, sueña...

Textos inéditos

ADVERTENCIA

En los cuadernos del Archivo Delmira Agustini se conserva una serie de textos inéditos de la poeta que fueron identificados por primera vez por Ofelia Machado de Benvenuto en su libro *Delmira Agustini*.

En muchos casos, aunque estos textos no están completos, son de interés particular para una investigación sobre el proceso de creación del poema. Los poemas que se transcriben a continuación corresponden a textos de los Cuadernos II, III y «Hojas sueltas» del Archivo Delmira Agustini. Los textos que he seleccionado son los que, a mi juicio, aparecen más completos en la versión original.

Poemas de los Cuadernos II y III
del Archivo Delmira Agustini

ÁTOMOS*

En unas postales

El genio, la virtud, benditas llaves
Que abren al hombre dos sagrados templos;
Aquel el reino de la gloria humana,
¡Esta el sagrario divinal del cielo!

MIS ANHELOS

Diluir mi ser en la sublime esencia
Que anima y vivifica al universo,
En una vibración verter la vida,
¡Fundir el alma en el crisol de un verso!

MIS AVES

El águila real, soberbia, indómita,
Cuyas pupilas desdeñosas, duras
Son dos bocas de fuego que recitan
La leyenda sin fin de las alturas!
El ave Genio; en sus pupilas hondas,
Por una mano misteriosa escrito,
Vibra grandioso sus estrofas ígneas
El poema de luz del infinito!

---

* Este poema se publicó en *La Alborada* del 13 de septiembre de 1903. No fue recogido en ningún libro de poemas de la poeta.

Los blancos crisantemos, los nostálgicos
Que desmayan al peso del recuerdo;
Ligeros vasos de marfil que brindan
Exóticas visiones, raros sueños!

ÁTOMOS*

El dolor subcorpóreo, el dolor íntimo,
El que ignora el lenguaje del sollozo,
Cáncer interno que invisible roe;
¡El que vibra en las almas no en los ojos!

No sé si soy feliz, no sé si sufro;
Deshojo risas y desgrano lágrimas;
Llevo en el alma realidades negras,
¡Llevo en la mente idealidades blancas!

* Este poema, que lleva el mismo título del anterior, se publicó en *La Alborada* del 4 de octubre de 1903. No fue recogido en ningún libro de poemas de la poeta.

ETÉREA

Tiembla el éter.
Lloviznan lágrimas... Los astros sollozan.
Una nubecita sonrosada desfallece... La
aurora está pálida:
Un sueño blanco, muy blanco, labra un
ataúd diminuto en un destello de sol...
El silencio ritma cadencias fúnebres...
. . . .
Es un silfo que muere!
. . . .
¡Llora el poeta!

FIBRAS

. . . .
Y... eran unos ojos cargados de delirio
Que lánguidos flotaban en mares de violeta,
—(Soñolientos océanos con misterios de fiebre)—
En las góndolas negras de las pestañas negras.
    Oh!...
Oh! las góndolas negras!
Los ojos del delirio!
Los mares de violeta!

Y... fue un alma muy suave que adoraba sus ojos,
Y adurmióse los ojos... y volcaron las góndolas...
Y murieron los ojos... y volcaron las góndolas...
Sucumbió el alma, náufraga en mares de violeta
    Oh!...
Oh las almas de seda!
Las barcas que zozobran!
Los mares de violeta!
. . . .

CORCEL DE HÉROE

Silba la fusta al azotar, la espuela
Muerde con furia en el ijar ardiente,
Brusco el caballo la cerviz enarca
¡Vibrando al golpe que su sangre enciende!
Sueltas las crines, con furor salvaje
Rudo sacude la imperial cabeza,
Mueven los flancos epilepsia de ira,
¡En sus pupilas un volcán rojea!

Tascando el freno en estrujar de rabia
Rechinaron los dientes marfileños.

SURGIÓ UN PRELUDIO*

Surgió en un preludio lleno de elegancia
Arqueados los brazos —burbuja de Francia—
Y fue un *allegretto* y fue una locura

La amabilidad de un reír ficticio
Grabada en los labios de flores de[1] artificio
La pierna vibrando su esbelta[2] finura
Pasó deslumbrante como luz gira
Flotando[3] en la atmósfera como una[4] fragancia
Tembló en el alma una repugnancia...
Era un fingimiento, era una[5] mentira!

---

* Este poema lleva también el título de «Danseuse».
[1] «Los labios de flores de» se reemplaza por «la boca aquella».
[2] «Esbelta» se reemplaza por «loca».
[3] «Flotó».
[4] «Como una» se reemplaza por «no sé qué».
[5] «una» se reemplaza por «no sé qué».
En el Cuaderno III con el título de «Surgió en un preludio» se escribe
el siguiente poema:

> Surgió en un preludio lleno de elegancia
> Arqueados los brazos —burbuja de Francia!—
> Y fue un *allegretto* y fue una locura
> La amabilidad de un reír ficticio
> La pierna vibrando loca su finura.
>
> Un fulgor de seda, un vapor de tules
> Mistereando embustes, tal cuentos azules...
> Pasó deslumbrante como luz gira.
> Flotó en la atmósfera no sé qué fragancia
> Y tembló en el alma una repugnancia...
> Era un fingimiento, era una mentira!

. . . .

Ríe, ríe mujer!... La eterna historia
Del alma en triza y los labios riendo...
No puedes ser feliz!... En ti la pena
Cáncer del alma se vuelve adentro!

. . . .

Me enerva el velo de un *spleen* que esfuma
La dulce evocación de la tarjeta...
La visión de la patria que se abruma
En el crespón de una nostalgia inmensa!

B. Ayres

. . . .

Fue un enigma...
Empezaba en el *no ser* y terminaba en la vida...
Tenía los ojos llenos de símbolos metafísicos,
Y unas sonrisas muy largas... y unas ojeras muy místi-
[cas!...
Sus pestañas eran densas como muchos logogrifos...

Fino dejo de Bizancio su rostro en forma de almendra;
Su boca de rosa té ¿por qué habrá sido tan pálida?...
Su intenso decir tenía la amarga fruición del lotus,
Su eterno mirar de ensueño ahondó la fuente Castalia!

Su extraña[1] carne lunar ritmó preludios de osario
En sus lentas manos llenas de muchos besos de tisis,
Eran espasmos de Poe, muy angustiosos, muy largos,
En la caricia; luz! lis!, serpeada de zafiro
Del mago cetro de ópalo
De su Suave Majestad, del Gran Oriente: Darío!

Porque llamaba, en sus hombros, la Evocación al suda-
[rio?...
Me asustaba el jeroglífico de su testa[2] de medalla,
Tenía el amplio ademán de una sentencia de Débora;
Era el Bethleen del Ensueño, el Sinaí de la Idea!
... ¿Por qué habrá sido tan lívida... y tan fatal... y tan
[rara?...

Tenía extraños terrores, supersticiones extrañas:
Temblaba al mirar los lirios como mudas bocas páli-
[das

---

[1] «Extraña».
[2] «Frente».

Llenas de inmensos secretos; temblaba al mirar los ci-
[rios
Los supremos pajes blancos de las supremas veladas!
Temblaba al ver los profundos pensamientos de almas
[frías:
Metempsicosis de ojos que miran desde otra vida!...
        Y las lánguidas violetas
Las duquesitas anémicas del peinador amatista!

Por qué era?... Adivinaba?
¿Adivinaba esta noche en que muchas bocas pálidas
De muchos lirios linfáticos, llenas de inmensos secretos
Derrumban sobre su cuerpo el mudo alud de sus be-
[sos?...
Cuando atroces, estupendas constelaciones de ojos
Yertos, helantes, opacos de dilatada pupila
Derrumban sobre sus sienes sus miradas de ultravida?...

Y empenachados de luz, impenetrables escuálidos
Le hacen[3] guardia de corps muchos pajecitos blancos?...
Cuando extáticos cortejos de duquesitas
anémicas
Se agolpan en aros cárdenos como tremendas ojeras!
Como anchas bocas sedientas!?

Presentía?...
Sí. Presentía esta noche de largo mirar de plata
Que en sus brazos estrujantes como millares de dipsas
Envolvió su alma... Al llevársela parece que le pesara
Se va lenta, lentamente como si se bamboleara...
Era[4] tan grande su alma!

. . . .

Allá en la estancia en que tiemblan las duquesitas mo-
[radas

---

[3] «Forman».
[4] «Es».

Besos de embriaguez de hatchis, ojos que miran pen-
[sando,
A la luz de los penachos de los pajecitos blancos
He leído el jeroglífico de su frente de medalla...
Hoy sé por qué era tan lívida y tan fatal y tan rara!

INICIAL

Eran los besos largos de una noche imposible
En[1] el extraño dorso de un país indecible

Una luna aterida como un sueño de osario
Arrastró por el cielo[2] un lívido sudario,

Y bajo el[3] cielo oscuro[4], como atroz jeroglífico,
Una cruz que le apuntaba con dedo apocalíptico.

Y en estupendos árboles afelpados y rojos
Discos de horrendas flores miraban como ojos.

Y el mar aquel, vibrando en un temblor intenso,
Era sangre de abismo manando de lo eterno.

Y al fondo... Allá... el Misterio de mirar de crespón
No más... No más... decía con loca precisión.

No más... No más... Sentí que mi alma despertaba,
Tembló, tembló el Enigma y el Misterio temblaba...
No más... No más... el eco agonizaba ya!

No más... Sentí en el alma un no sé qué de *Allá*...
Y luego, luego el sueño con su ala entumecida
Apagando mi alma... sofocando mi vida...!

---

[1] «Sobre».
[2] «Los cielos».
[3] «Al».
[4] «Negro».

HUMO MÍTICO*

Fue una tarde autumnal. Largas ráfagas frías
Arrastraban chirriando las hojas amarillas.

En esas tardes lívidas de amplias alas de plata
La cruz negra del parque parece más extraña.

La suave esfumescencia[1] de una bruma de ópalo
Flotó sedosamente esplinándolo[2] todo.

Me enervé en su *spleenes* y para disiparlos
Busqué mi pajarera llena de mirlos albos.

Fui. Entre el locuelo[3] enjambre, en actitud extática
Vi un pájaro sombrío, un ave de borrasca!

Temblé, temblé al enigma: ¿Cómo entró? ¿Qué decía?...
Y él, inmóvil, profético
Volcaba en la cruz negra su trágica pupila!

---

* Este poema tiene versos similares a «Visión de Otoño» de *Cantos de la mañana*.

[1] «La gasa incalculable».

[2] «Esfumándolo».

[3] «Travieso».

EL VIENTO

Media noche. Yo velo
Tik... tak... Las doce. Velo.
Al resplandor rosado de mi lámpara exprimo
Zumo de mitos raros al callar[1] de la noche...
Súbito
Siento en la nuca el hielo de un soplo lento frío...
Es un llamado?... Vuélvome: una mano invisible
Levanta la cortina de mi ventana miro...
Tiemblo... no quiero ver... Tal vez la atroz de Delfos
Que *vuelve* a desvelarme la sentencia del Sino
Fatal... Tal vez la Muerte, en la visión suprema
Viene a mostrarme, impávido, su espectro tras el vi-
                                              [drio!

---

[1] «En la página virgen» está escrito arriba de «al callar» pero sin tachar.

EN EL MAR

Ayer estaba azul... Ayer miraba el cielo
Con un dulzor muy vago de pupila infante
En su amplia luna regia altivo, sin anhelo,
El sol contempló mucho su cabeza de abuelo,
De eterno abuelo rubio de formidable crin.

Ayer estaba azul... La suave esfumescencia
De sus líquidos rizos filigranó en marfil
La bruma de una gaza de brumosa evanescencia
Besaba[1] frágilmente la blanca iridiscencia
La seda espejeante del manto de zafir

Ayer, al irse el sol, la serenidad mística
De los ojos extáticos de las almas de lis.
Reflejó magnamente. La Entraña cabalística
Dormía en sus misterios. Su mirada hipnalística[2]
Tendió la luna[3] tarda por el cristal sin fin:
Le vi el extraño aspecto de un gran beso bendito
Sublimando las aguas... Un beso del cenit.
Y el mar mudo, solemne como cumpliendo un ri-
                                        [to[4]
Devolvíala trémulo en su espejo infinito
Más vago, como un eco, balbuciente, senil...
Hoy es gris... Un enorme secreto en sus entrañas
Subleva su potencia. Las líquidas montañas
Se agolpan, se agigantan... Y: oh magia de lo gris!

---

[1] «Fugaba».
[2] «Selene la eucarística».
[3] «Selene su mirar suave».
[4] «Con el favor de un rito».

Hoy revuelve las heces de su misterio[5] helado
Refleja turbiamente un sol enmascarado
Es plomo es hielo es muerte... Y lo amo más así[6].

---

[5] «Entraña».
[6] «Hoy es plomo, es frío hoy es muerte... pues bien; lo amo más así».

EN EL TEMPLO DEL ENSUEÑO

En el rosado frágil del cenáculo
Suave visión la pagodita de ópalo;
Dentro, en el salmo de cristal del ara
Dulce cabir el milagroso loto[1]
Símbolo[2] blanco[3] del ensueño. Entra
Un raro viejo[4] desmayando todo,
Tres arrugas hiriéndole[5] la frente,
Fantasmas de naufragio en los ojos.

Niega y desprecia[6]: —yo sentí en sus labios
De mil blasfemias el amargo dejo.
Niega y desprecia[7]: su mirar remoto
Vuelva en mi Amado[8] derrumbando hielos...
Y sobre el salmo de cristal del ara[9]
Vagos mirajes entrañando sueños[10] de azules misterios
Dice El locuras[11] en el silencio... Lento
Lento. Llégase el viejo...
Cae una frente que se rinde a un rito[12]
Tiemblan[13] dos labios balbuciendo: Credo!

---

[1] «En regio vaso»; en vez de «loto», «opio».
[2] «Mito».
[3] Sin tachar escribe «extraño» y «profundo» como otras dos posibilidades.
[4] «Extraño» sin tachar.
[5] «Rasgándole».
[6] «Maldice» sin tachar.
[7] «Maldice» sin tachar.
[8] «En el sumo Cabir» sin tachar.
[9] Escribe «Súbito del vaso místico, ondulando surgen» encima del verso tachado.
[10] Tachado y escribe «olvidos», también tachado.
[11] Tachó «locuras».
[12] Este verso está tachado; encima escribe «persiguiendo sueños».
[13] «Mueren» que está tachado; luego escribe: «suspensa el alma en la espiral de plata».

En el Folio 31 se lee la siguiente versión del poema:

En el rosado frágil del cenáculo
Suave visión la pagodita de ópalo;
Dentro, en el salmo de cristal del ara,
En regio vaso el milagroso opio

Mito profundo del Eterno. Entra
Un raro viejo desmayando todo,
Tres arrugas rasgándole la frente,
Fantasmas de naufragios en los ojos.

Niega maldice: —yo en sus labios siento
De mil blasfemias el amargo dejo.
Niega desprecia: su mirar remoto
De muchas tumbas desentraña hielos...
Súbito
Del vaso místico ondulando surgen
Vagos mirajes entrañando de azules misterios...
Lento, llégase el viejo...
Suspensa el alma en la espiral de plata...
Aspira y muere en el fervor de un Credo!

VISIONES DE ESPAÑA

Una montaña de cabellos negros,
El loco brillo de dos negros ojos,
Una mantilla negra, una peineta,
Un ramo ardiente de claveles rojos!

Toda fresca carnación vibrando,
El pie alocado martillando notas,
Cintas, requiebros, abanicos, celos,
Una guitarra jugueteando[1] jotas!

Una mirada, una sonrisa... Un rictus,
Fondos siniestros en dos ojos que arden...
El espejeo de un acero agudo,
Un choque, un grito, un borbotón de sangre!

---

[1] «Mantillando».

SUPREMA

Mi egregia torre de ónix. Una esfinge[1] de ópalo
Me mira[2] desmayando por los amplios cristales
Con apariencia de aguas tranquilas, desde el éter
Más solemne al través de las mil vaguedades
De los vidrios extraños. Una esfinge[3] de ópalo
Que custodia el enigma de las nieves lunares[4]
Oh vieja luna! Besan tus miradas la página
Lívida en que destaco mis raros signos negros
De fondos colosales. Ven yo extingo mi lámpara,
Vuelque tu ojo en las sombras receptáculos regios
De tremendas visiones. Yo quiero aunque me abrume
De tu entraña insondable el remoto secreto.

Hundo mi alma hasta el fondo eterno de este instante.
Exploro las tinieblas, fantasmas de otras épocas,
Mirajes formidables extráigoles; exprimo
Al mutismo abismado inéditas leyendas[5]
—Minero de la sombra, oh poeta! tú sabes
De luces invisibles, de silentes tragedias!

Oh cimas del Silencio...! Un débil golpe. Larga
Vibración de cristales. Temblor del hipnalismo
Del formidable Mudo... Alguien llama. ¿Quién llega?[6]

---

[1] «Misticismo».

[2] «Llega».

[3] «Misticismo».

[4] Sobre este verso se lee tachado: «Perdido en lo profundo de los rayos lunares»; sobre «perdido», tachado se lee «erguido» y «dormido».

[5] Escrito y tachado: «Al mutismo abismado del Oidor de los Siglos Inéditos»; también va tachado «leyenda».

[6] «Llama».

A través del misterio hasta mi reino íntimo?...
Quien quiera seas, no entres! Hay néctares que ma-
[tan...
  —Oh la fiebre que escribe
  Amplias, graves sentencias!
Letal sublimidad esencia aquí su vida,
No hieras su armonía, sus venenos no bebas
No libes raros sueños en sus ánforas de hang
Tras[7] los almos deliros catástrofes acechan!
Insistes? Loco! No abro... Miro; mancha[8] la acuosa
Palidez de los vidrios, un fantasma velado,
Espántanme en su manto presagios de amenaza[9]...
Revélame tu rostro! —Supremo, hierofánico
En su ademán. El manto cae como un misterio[10]
Dios, cuánta expresión cabe en un espectro impávido![11]
Mis miradas suspensas de un vértigo desplómanse
En la atroz vacuidad de dos órbitas negras...
Oh Inicial! Bienvenida...!! Tú sola, sola, puedes,
Sin herir mi armonía, vibrar en mi grandeza[12],
Yo embriagaré en tu esencia avideces selectas
Y te abriré mi reino: tus secretos bien valen
Mis tremendos secretos... Tú sola, sola, entra!

---

[7] «En».
[8] «Fino en» tachado.
[9] Este verso está tachado.
[10] «Del manto el frío apocalíptico» arriba de este verso después del punto seguido. Luego fue tachado.
[11] «Cae... Cuanto temor cabe en un gesto impávido» que tachó.
[12] «Avideces del» tachado.

LAS FRENTES

Las frentes... Las suaves frentes
Muertas en la palidez de los ópalos lunares.
Oh frágiles jeroglíficos!... Nítidas cristalescencias
Custodiando los secretos de trémulas vaguedades

Las frentes... Las frentes graves
Que mienten en su ademán la amplitud de las monta-
[ñas.
Lívidos bloques que entrañan el divino radium psíquico
La frente del viejo[1]... Frentes con nobleza de alas!

Las frentes... Las frentes trágicas:
Las que aja el Mal en las férreas crispaturas de su
[mano.
Y las fatales... a veces temblando, temblando cruza
Sus páramos cabalísticos el vago horror de un presagio

Las frentes... Las magnas[2] frentes
Mudas columnas alzando no sé qué tremendas cargas...
Quiero sondarlas... ¡Nihil!... No puedo vencer mármo-
[les...
La frente de Carlo Magno[3]... Frentes con frialdad de lápi-
[das!...
Las solas impenetrables.

. . . .

Las frentes... Amo las frentes... ¡En las frentes siento[4] al-
[mas!

---

[1] «Homero» escrito y tachado.
[2] «Magnas» aparece después del sustantivo.
[3] «Buonaparte» escrito y tachado.
[4] «Laten» tachado.

GAMA EXQUISITA

Tin tines, finos tintines,
(El loco cascabeleo tiene claridades de oro)
Acaricia mis pupilas una suave luz de plata
Y pasa, riendo, Darío
En frágil litera azul que llevan traviesos gnomos...

Un mar solemne, solemne
Tendiendo infinitamente la vaguedad de su espejo,
La noble línea profunda de una marfileña góndola,
Y pasa, febril, D'Annunzio,
Persigue inmensas visiones de mil continentes nuevos...

Ojos subrayados, grises
En extraños rostros lívidos de graves profundidades
El ademán formidable de una amplia ala apocalíptica
Y pasa, tremendo, Herrera
Busca la fuente Castalia por mundos impenetrables...

Nueve mujeres muy pálidas
Horrendos fantasmas raros de colosales siluetas
Llevando en cadencia fúnebre un jeroglífico féretro...
Atroz, enlutado Poe marcha detrás... llego, miro,
Un cristal cierra la caja
Y en su entraña... también Poe... blanco, amortajado, yer-
[to! [1]

---

[1] Tachado dice «atroz, enlutado, muerto».

DÚOS PROFUNDOS

Él es pálido, es trágico[1]...
El violín está triste habla mil vaguedades
Que el piano profundiza con nobles gravedades...
Encarna fatal la[2] evocación del lirio...

Violín amoroso parece un gran delirio;
Onda azul entrañando no sé qué[3] tempestades;
El piano es un abismo sonando[4] inmensidades
Los ojos afiebrados relumbran como Sirio[5]...

La onda azul se agiganta: loco, loco crescendo...
La música es el verbo de la pasión, tremenda,
En sus dejos yo vivo[6] raras vidas remotas...
Crepuscular morendo, largo desmayo suave...
Fine!... y ella solemne, y él muy grave, muy grave
Escuchan en sus almas el eco de las notas...

---

[1] En vez dice: «Tu palidez: oh cirio!» que va tachado.
[2] Debajo de «fatal» escribe sin tachar «la suave».
[3] Escribe arriba «un gris de».
[4] «Cantando» sin tachar.
[5] «En los ojos de fiebre multiplícase Sirio» tachado.
[6] Arriba dice «se viven».

. . . .

Loreley es tan suave como un nelumbo, su bella
Voz finamente labra, en transparentes cristales,
Lucientes espejismos frágiles como ideales
Y su alma es un diamante nítido como una estrella.
Me envuelven sus prestigios místicos vagos brumales
En su Castalia el beso de azul misterio del astro.
. . . .
También, también a veces, cuando la noche enigmática
Alza en la mano etiópica el gran fanal de alabastro
Me fascinan me hechizan con su gran pompa asiática
Otras, otras visiones. Lábralas tan magamente
En el oro de un canto no sé qué ondina de Oriente...

Es de un ámbar muy frío con labios y alma de grana
Y Loreley es blanca más que la celeste cera de la frente de
[Diana.

. . . .

Hoy, en el vago instante de abandono, una loca
Ráfaga campesina ensayó mi laúd;
En las sombrías[1] cuerdas crepusculares, graves
Vibró[2] como asustada traidora nota azul
Es una nota extraña. Una nota de oro
Robada al hierro frío de una solemne cruz...

El aire es un perfume, un salvaje[3] perfume
Exquisito y ardiente es un licor[4] de vida.
Es un[5] licor extraño[6] de embriagueces extrañas[7]
Yo bebo de la aurora en la copa encendida.
Arcada de esmeraldas[8] la cuchilla
En el terreno arisco cabrillea un fuerte
Loca vida candente... Fiebre? (restallada?) en flores
El cielo incalculable de profundas turquesas
Tiene fríos misterios y solemnes colores.
Y los magos[9] naranjos —árboles de las perlas
Y el oro astral— hoy visten sus vuelos de fragancias
Tal[10] gotas de la sangre perfumada de sueño
Las rojas[11] rosas, rojas como menudas[12] Francias
Las mariposas suaves y coquetas tal leves
Marquesitas antiguas de solemnes panniers

---

1 «Sonoras» tachado.
2 «Tembló» sin tachar.
3 «Selvático» sin tachar.
4 «Tiene dejo».
5 Dice «poderoso y complejo» sobre «Es un».
6 «Potente».
7 «Su embriaguez es sagrada».
8 Sin tachar «esmaltada de gemas».
9 «Frescos».
10 «Son».
11 Sin tachar «Se abren las».
12 Sin tachar «el alma de».

Acarician y liban, en un mimo las rosas
Tal ellas[13] gentilmente[14] los lirios del minué
Seguidos cruzan, vagos, locos como caprichos
O saltan como besos[15] en las ramas, los frágiles
Trovadores del Allá[16]. Las gargantas metálicas[17]
Son pífanos alegres agudos de muchos gnomos ágiles
Confusas sensaciones, rumores indecibles
Brisas que besan hojas, hojas que besan brisas
Insectos negros rojos, otros, como diamantes
Parece que se sienten en el aire suspensas
Como finos collares espirituales risas.

Y los viejos ombúes yerguen las ramas tristes.
Parece que las hiere como un sueño de guerra
La visión legendaria del Indio todo bronce
Nutriendo de fierezas las venas de la tierra!

---

[13] «Aquellas».
[14] «Gentiles».
[15] Sin tachar «bulliciosos».
[16] Sin tachar «Aire».
[17] «De plata» tachado.

DI, BOHEMIA PÁLIDA

Di, bohemia pálida:
Qué mago profundo
Te hizo el don terrible
Del estuche ebúrneo?
El que colmara raras[1]
Hechizadas perlas?...
Dos perlas que lucen[2]
Durezas que aterran.

---

[1] Sin tachar «colmado de».
[2] Arriba dice «tienen» tachado.

. . . .

Selema está ebria de luz y de danza
Su brazo en el hombro de seda descansa

Y cruza miradas tal llamas turquíes
Sonrisas tal signos de magos sentidos

Hechizos de perlas de labios vendidos
Tal sellos extraños de fieros rubíes

La orquesta es divina cascada de perlas
Las luces son chorros de un oro de en sueños
Las damas tan bellas que cegaba el verlas
Con manos de nieve veladas de perlas
Ahuecan pomposas los trajes sedeños

Así de lejos dudo si os conozco o si os sueño...
Corona de espíritus reináis en la Belleza
Abriendo como brazos las alas del Ensueño
Y juntando las manos de la Vida que reza:

Dios salve de sus ojos los dos largos
Y mariposa muerta de sol, su cabellera;
Y su boca una rosa fresca sobre los ríos
Del Fuego y la Armonía; y los vasos de cera

De sus manos, colmadas de rosas de cariño;
Y su cuerpo sin sombra

---

* Este poema sin título, bajo el encabezado general de «Poesías nuevas», está en el Cuaderno VI, Folio 42 del Archivo D.A.

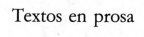

Textos en prosa

ADVERTENCIA

Delmira Agustini no publicó ningún texto poético en prosa. Los dos primeros textos en prosa de esta sección son los únicos que fueron publicados póstumamente cuando se incluyeron en el manuscrito preparado por Santiago Agustini para la edición de las *Obras completas* de 1924. Gran parte de los manuscritos de Delmira Agustini carecen de fecha.

ANA

Tu alma me fascinó en tu mirada, como una remota hermana nunca vista, reconocida por milagro en un encuentro mudo por un camino misterioso.

Ana... Yo saboreo tu nombre como un sorbo de miel celeste... Ana, yo vi una vez, abiertas a la vida, sobre la torre blanca de tu cuerpo, las mágicas lumbreras de tus ojos. Tu alma me fascinó en tu mirada como una remota hermana nunca vista, reconocida milagrosamente al crepúsculo en un encuentro mudo por un camino misterioso... Una suprema hermana de mi alma, cuando mi alma es buena y se viste de alas y se toca de astros.

Al pasar, tu mirada me atrajo como una selva profunda en un palacio encantado. Tu espíritu santo me penetró como una esencia fuerte.

Ana, cuando eras un bello ídolo vivo, yo hubiera llevado lirios a tu frente, rosas a tu pecho, besos a tus manos. Pero el orgullo encadena de oro algunas vidas, reteniéndolas entre cuatro muros grises de la soledad... —El orgullo es mi pecado olímpico—. Mi ofrenda fue de lágrimas la primera noche en que tú, suma, blanca, suave flor de mundo, divinamente celada en un vaso de amor familiar, dormiste *sola, sola, sola* en el cementerio oscuro...

Hoy, frente a la imagen inefable en que tu gracia muerta fulge como un diamante negro, me atormenta el ansia incontenible de llorar o de cantar tu vida. Y hoy te hablo, Ana, por si acaso me oyes desde algún país lejano en donde no se dude... Tú sabías que cada palabra sincera es una perla del corazón... Tal vez me sonrías, Ana.

6 DE ENERO

Media noche... Hacia Oriente, bella región —fábulas, diamantes, ojos negros, raros sueños, maravillas—, viajan tres tristes sombras de pálidos viejos que fueron bellos y reyes y magos y, hoy, son pobres peregrinos espectrales de una muerta estrella y de un muerto Dios.

Llevan preciosas cargas —rosados muñecos, sedas misteriosas, esmeraldas de Egipto, turquesas de Persia—, en las manos lácteas; un mirar estancado en los ojos hondos que, en los rostros blancos con las barbas blancas brillan como estrellas de azabache sobre nubes de plata. Y llevaban largos mantos negros y regias tiaras de opacas perlas negras. En las barbas blancas de los rostros blancos, unas como cuentas cristalinas titilan y fulguran como gemas.

Yo los veo pasar... Algo monumental cae en mi alma... La sensación de lo extrahumano abruma...; mis rodillas ceden, tiendo las manos temblorosas... Manos que adoran, llaman, imploran... —«Abuelos, ¡oh abuelos!...»—. Mi voz naufraga. Yo lloro, lloro lágrimas de luz, gotas del alma! Y los pálidos viejos se detienen, me miran abismadamente y me hablan con voces remotas. Y las voces y las miradas están llenas de sublimes dejos. —«No llores, no llores más. Di: ¿Quieres tú algo?... ¿Qué?... ¿Un bello diamante puro y luminoso como una perla de agua del Jordán, o una esmeralda pérfida y cabalística como un ojo felino?... ¿Rubíes de rojo y llama, tal la sangre morisca, u ópalos sombríamente blancos como monjas traidoras?... ¿Albos corderos de ojos de azur y collarcitos de oro o rubios marquesitos envueltos en relámpagos de sedas y de joyas?... Pide...» —Un extraño fuego secó mis lágrimas encendiendo mis labios y hablé, hablé febrilmente: —«No, no, nada de eso! No quiero el bello diamante, la pérfida esmeralda ni el albo cordero. Guardadlo todo, todo, hasta mi vida! Pero dadme, dadme si sois magos, esa suprema visión que impone en vuestros ojos, como un aletazo formidable en la noche, el fondo de un abismo: la visión ultraolímpica del niño de Bethleen cargando todo un mundo criminal y maldito sobre dos suaves hombros frágiles como dos rosas! Yo quiero ver al Dios... Vosotros sois magos. ¡Mostrádmele!» —«Imposible.» —«Habladme, entonces, de Él. De la estrella blanca... Del cordero suave.» —«¿Y para qué? Eso es muy triste —largos suspiros.» —«Dichoso tú!» —«Yo?... Yo, mísero ciego de la Suma Luz. Pobre nostálgico del Dios!...» —«Tú no lo has visto, nosotros, llevamos su luto; tú llevas un deseo, nosotros un dolor...» —Y los tres viejos se alejan, lentos y solemnes, lentos y profundos, arrastrando pesadamente los tres largos mantos negros, como tres martirios... Vuélvense y me miran... En las barbas blancas de los rostros blancos, muchas, muchas perlas cristalinas dan luces fulmíneas... ¡Oh, las divinas lágrimas!!! Deben de ser muy ardientes: a su fulgor se han secado las mías...

¡VENGADO!

La regia, torrencial cabellera rubia cayendo en desmayos de oro sobre la espalda olímpica el menudo hemisferio alabastrino de la barbita mórbida estrujando la onda de marfil del pecho palpitante, las largas manos principescas unidas en el blando encadenamiento de los dedos delgados y pálidos como minúsculos cirios amarillentos, bella ultrahumanamente bella en la efervescencia de encajes de su veste blanca, Dilia, la suave rubia de los ojos hondos parece meditar. Tal vez piensa, tal vez duerme, tal vez sueña los sueños indecisos de las suaves rubias de los ojos hondos con lánguidos besos amarillos del sol que entorna su pupila monstruo en supremos parpadeos de solemne luz en sus cabellos finos, ondulantes como largas trémulas vibraciones de oro. A sus pies de rodillas, inclinado en actitud de tímida respetuosa adoración los ojos inmensamente abiertos en una dilatación de éxtasis para ella, su vida, su extraña novela de ermitaño intelectual hastiado observador en la comedia vivida y desgrana atropellada desordenadamente sus dudas, sus esperanzas, sus excelsos entusiastas anhelos de superhombre... Oye, musa mía gloria mía, mi Todo, le dice, tú sufres, si tú sufres y tratas de ocultármelo. Al apurar con avideces de ebrio, los cálidos resplandores de tus miradas glaucas, siento en ellas un extraño sabor amargo, un sabor de tedio, sabor de lágrimas... Tus hondas ojeras cárdenas ancho oceánico amatista en que naufragan tus pupilas abrazadas con dos estrofas de fiebre escritas con el insomnio... Tu boca, minúscula fuentecilla de coral que a cada

352

instante vibraba el chorro alegre, cristalino. La perlada lloviza de la carcajada, tiene hoy el color frío cadavérico de ensueño muerto y sólo alcanza a esbozar una sonrisa sombría y sesgada como un aletazo de angustia... Lo ves? ahora mismo, mientras yo te hablo, has abierto los párpados y tus ojos cansados escriben en el espacio un poema de hastíos desencantos... Tú, sufres si tú sufres, pero, por qué no decírmelo? Por qué no abrirme tu alma como yo te he abierto la mía? paréceme entonces en ella, y en ella te he hallado como soberana absoluta.

. . . .*

Un día, un brillante día al amanecer tuve la loca, la
atroz visión de un raro cóndor gigantesco... Volaba, noblemente, gravemente, suspendida la salvaje noche trágica del cuerpo de dos en [espacio en blanco] alas cándidas
de mariposa suave... [espacio en blanco] el cielo hacia el
Oriente y fue a hundirse en el sol.

Hoy, explorando vagamente las tinieblas en mi suave
litera de ópalo que cargan cuatro formidables Misterios,
he creído sentir entre el silencio agudo y amenazante
como un ocultismo de odio, el siniestro rumor aterciope-
lado de muchas arañas invisibles entretejiendo traidoras
redes...

Anoche en el parque quimerizado por los cálidos espectros del plenilunio bajo las cúpulas místicas de los ci-
preses extáticos he tenido la más estupenda, la más loca
¿alucinación? Mi cuerpo era todo transparente y la luz de
la luna me bañaba el alma... Luego, sólo sentía mi espíritu: y el cuerpo qué era de él? No lo sabía ni me extraña-
ba... por qué?... Y, cuando la tensión misma de aquel instante más profundo que mil siglos rompió la maravillosa
malla cristalina de mi vida espiritual, lo sentí helado,
tembloroso, enfermo... Pobre cuerpo! Mi alma es un
veneno... Hay néctares que matan, regias luces que
ciegan...!

Es mi visión pálida de las tardes grises...

* Este texto procede del Cuaderno II del Archivo Delmira Agustini.

Cuando la música vaguedad de los crepúsculos *suena* los supremos morendos de sus penumbrosos intermezos solemne pasa. Mi extraña, mi atroz visión grave, impenetrable trágica...»

La descubrí un día, un día de plomo en que el sol como una gran máscara lívida se hundió en el misterio helante de un abismo gris. Mi alma desmayaba suspensa de una vaga nota crepuscular. Era el último eco del día...

Y ella pasó... En las tremendas ojeras cárdenas sus ojos eran dos astros yertos en la profundidad de dos crepúsculos invernales... No indagan, no ven... Esa su extraña pupila se agotó en la enorme visión enervante de ignoradas cosas. Ellas la dilataron inspirándoles esa terrible mirada muerta, omnisabia...

Hay regias luces fatales, nobles cegueras sagradas!

LA ULTRAPOESÍA

«La ultrapoesía..., la poesía vaga, brumosa del ensueño raro, del mito, del atroz jeroglífico, de la extravagancia excelsa; la poesía extraña musa de la musa extraña que misteria símbolos al oído del poeta duque de las manos diáfanas y los ojos místicos, tiene en su esencia algo así como la fruición estupendamente exquisita, estupendamente recóndita de un dulce oriental... De la pasta suave, blanda, deleitosa, como un acariciar de terciopelo, los profanos apenas desentrañan un falso sabor múltiple, indeciso, confuso, empalagoso... El *otro*, el verdadero, el estupendamente exquisito, el estupendamente recóndito, sublimemente armonioso en su complejidad, es para los *otros*, los sapientes, los iniciados al supremo misterio de la gustación suprema, los que interpretan magistralmente todos sus matices, penetrándolo, desfibrándolo en sus dejos más profundos, en sus delicadezas más íntimas...»[1].

Fragmento del Cuaderno II del Archivo Delmira Agustini

---

[1] Delmira Agustini ha dejado muy pocos textos en prosa que reflejan sus ideas sobre la poesía. Transcribimos los siguientes fragmentos tomados de uno de los cuadernos de la poeta, por considerarlos reveladores de la poética modernista que practica nuestra autora. Me he tomado la libertad de titularlo con el término que utiliza la poeta.

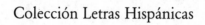

Colección Letras Hispánicas